Notdog

Volume 1

la courte échelle

Les éditions de la courte échelle inc.
160, rue Saint-Viateur Est, bureau 404
Montréal (Québec) H2T 1A8
www.courteechelle.com

Direction artistique : Jean-François Lejeune
Conception de la couverture : Sara Bourgoin
Conception graphique de l'intérieur : Sophie Lemire

Dépôt légal, 4e trimestre 2009
Bibliothèque nationale du Québec

La courte échelle reconnaît l'aide financière du gouvernement du Canada par l'entremise du Programme d'aide au développement de l'industrie de l'édition pour ses activités d'édition. La courte échelle est aussi inscrite au programme de subvention globale du Conseil des Arts du Canada et reçoit l'appui du gouvernement du Québec par l'intermédiaire de la SODEC.

La courte échelle bénéficie également du Programme de crédit d'impôt pour l'édition de livres – Gestion SODEC – du gouvernement du Québec.

Catalogage avant publication de Bibliothèque et Archives nationales du Québec et Bibliothèque et Archives Canada

Desrosiers, Sylvie

  Notdog

  (Roman jeunesse)
  Publ. à l'origine en volumes séparés.
  Sommaire: v. 1. Qui a peur des fantômes? ; Faut-il croire à la magie? ; Quelqu'un a-t-il vu Notdog? ; Aimez-vous la musique?
  Pour les jeunes de 9 ans et plus.

  ISBN 978-2-89651-333-8 (v. 1)

  I. Sylvestre, Daniel. II. Titre. III. Collection: Roman-jeunesse.

PS8557.E874N67 2009   jC843'.54   C2009-941658-1
PS9557.E874N67 2009

Imprimé au Canada

Sylvie Desrosiers

Ne vous fiez pas au sourire réservé de Sylvie Desrosiers : malgré son apparence réfléchie, elle aime rire et faire rire. Pour écrire, elle cherche dans ses souvenirs, fouille dans ses carnets et peut se réveiller la nuit si une bonne idée apparaît ! Mais même lorsqu'elle travaille beaucoup, elle éteint toujours son ordinateur quand son fils rentre de l'école. Et elle ne manque jamais une occasion d'aller avec lui au cinéma ni de lui cuisiner des pâtes à toutes les sauces !

Daniel Sylvestre

Enfant déjà, Daniel Sylvestre dessinait. Un jour, en visite chez des amis de ses parents eux-mêmes artistes, il découvre leur travail. Séduit, il prend une décision : quand il sera grand, il sera peintre ! En route donc pour des études d'art, d'abord à Montréal, puis à Paris et à Strasbourg. Il y suit une formation très exigeante, dessinant du matin au soir. Aujourd'hui, il partage son temps entre l'illustration de livres et son travail d'artiste graveur. Minutieux, il apporte un grand soin à chacune de ses créations. Sans jamais oublier d'y mettre une touche d'humour !

De la même auteure à la courte échelle

Collection Premier Roman
Série Thomas:
Au revoir, Camille!
Le concert de Thomas
Ma mère est une extraterrestre
Je suis Thomas
L'audition de Thomas

Collection Roman Jeunesse
Série Notdog:
La patte dans le sac
Qui a peur des fantômes?
Le mystère du lac Carré
Où sont passés les dinosaures?
Méfiez-vous des monstres marins
Mais qui va trouver le trésor?
Faut-il croire à la magie?
Les princes ne sont pas tous charmants
Qui veut entrer dans la légende?
La jeune fille venue du froid
Qui a déjà touché à un vrai tigre?
Peut-on dessiner un souvenir?
Les extraterrestres sont-ils des voleurs?
Quelqu'un a-t-il vu Notdog?
Qui veut entrer dans la peau d'un chien?
Aimez-vous la musique?
L'héritage de la pirate

Collection Ado
Le long silence

Série Paulette:
Quatre jours de liberté
Les cahiers d'Élisabeth

Notdog autour du monde!

Le chien Notdog est célèbre un peu partout dans le monde. On peut lire plusieurs de ses aventures en chinois, en espagnol, en grec et en italien.

Des honneurs pour l'auteure Sylvie Desrosiers

• Prix du Gouverneur général du Canada, littérature jeunesse, pour *Les trois lieues* (2008)
• Finaliste, Prix Wallonie-Bruxelles pour *Les trois lieues* (2008)
• Prix à la création artistique du CALQ en Montérégie pour l'ensemble de sa démarche artistique (2008)
• Prix spécial du jury de la Fondation Espace-Enfant en Suisse, remis à l'auteur du « livre que chaque enfant devrait pouvoir offrir à ses parents », pour *Au revoir, Camille!* (2000)
• Prix 12/17 Brive-Montréal pour *Le long silence* (1996)
• Finaliste, Prix du Gouverneur général du Canada, littérature jeunesse, pour *Le long silence* (1996)
• Finaliste, Prix Alvine-Bélisle pour *Les cahiers d'Élisabeth* (1991)

Des honneurs pour l'illustrateur Daniel Sylvestre

• Finaliste, Prix du Gouverneur général du Canada pour *Ma vie de reptile* (2007)
• Prix du salon du livre de Trois-Rivières pour *Ma vie de reptile* (2007)
• Palmarès Communication Jeunesse, prix des enfants, pour *A.A aime H.H.* (2000)
• Deuxième prix, Biennale de l'illustration québécoise pour *La musique des choses* (1999)
• Finaliste, prix du Gouverneur général du Canada pour *Mais qui va trouver le trésor ?* (1992)
• Prix d'excellence de l'Association des consommateurs du Québec pour *Le dragon*, série Zunik (1991)
• Finaliste, prix du livre M. Christie pour *Le dragon*, série Zunik (1991)
• Prix Québec/Wallonie-Bruxelles pour *Je suis Zunik* (1985)

Sylvie Desrosiers

QUI A PEUR DES FANTÔMES ?

Illustrations
de Daniel Sylvestre

la courte échelle

Labrosse voulait la paix, mais...

"Un autre 'tit-coup Labrosse? Hum? Un autre? Bon, O.K., mais c'est le dernier, là...", se dit le père Labrosse.

Tout seul avec son gallon d'alcool de patates, il boit en se faisant la conversation. Admirant la vieille église en ruine qu'il vient d'acheter, il dit tout haut:

— La sainte paix!

C'est avec tous les dix sous qu'il a ramassés par terre dans sa vie, et qu'il n'a pas bus, que cet alcoolique de métier a pu faire cette acquisition. Au total, une bien petite somme. Puisque abandonnée depuis nombre d'années, cette église a plutôt l'air d'un tas de vieilles pierres.

Elle a un toit qui coule à plusieurs endroits et les fenêtres sont presque toutes cassées. Labrosse les bouche d'ailleurs avec de vieux cartons. Mais il est content, chez lui et tranquille.

À moitié saoul, il écoute le silence.

Paclow! Une porte se ferme avec fracas. Silence.

"Un coup de vent", pense Labrosse. "Tiens, parlant de coup..." et il se verse un verre à ras bords.

Boingks! Un coup à une fenêtre.

— Encore un oiseau qui a passé tout droit et qui s'est écrasé contre la vitre, marmonne-t-il.

Toc, toc, toc! on frappe à la porte.

— Ah, non, pas un visiteur!

Labrosse se lève péniblement, essaie de s'aligner sur la porte. Les murs tanguent. Il ouvre. Personne.

— Les enfants viennent donc loin pour jouer leurs tours de nos jours! grogne-t-il en retournant à sa place.

Ketong! Une chaise à deux mètres de Labrosse se jette littéralement par terre. Stupéfait, il ne réagit pas.

Pocs! Une balle vient frapper le mur et rebondit à plusieurs reprises.

Boum! Une statue sans nez tombe de son socle.

"Oups! Labrosse, tu as dépassé ta limite", pense le vieux qui rebouche le gallon prestement.

C'est alors que le lustre encrassé commence à trembler, faisant tinter ses dizaines de petits morceaux de verre.

Crac! Une planche du parquet se soulève toute seule.

Schlick! schlick! schlick! Un pas traînant des chaînes fait lentement le tour de l'église. Le bruit est clair, Labrosse peut le suivre, mais il n'y a pas âme qui vive.

Un souffle de vent glacé fait frissonner le vieux.

— Impossible, ça, on est l'été! dit-il en touchant son front où la sueur commence à perler.

Il respire fort mais s'arrête soudain. Une autre respiration continue, haletante, terrifiante.

Labrosse bondit sur ses pieds, se retourne: personne.

— Y a quelqu'un? demande-t-il, la voix frémissante.

Pour toute réponse, il reçoit un

grand éclat de rire.

— Qui est là? Sors de ta cachette ou bien je... ou bien je... Labrosse cherche une menace à faire, mais ne trouve pas. Il a peur. L'idée lui vient de déguerpir, mais il reste cloué sur place.

Silence. Labrosse essaie alors de se donner du courage.

— Voyons, épais, arrête de trembler comme un lapin. À ton âge...Tu te fais des peurs pour rien. Puis arrête de boire. Ça te donne des hallucinations. Euh, non, bois moins...

Tout semble se calmer. Labrosse se verse un coup pour se remonter le moral, quand soudain:

— Ahhhhhhhhhhhhhhhh! Un grand cri retentit dans l'église et tous les bruits recommencent en même temps, la chaise, les chaînes, les portes, le plancher. Le même rire éclate, cette fois-ci en écho. Plusieurs voix chuchotent et Labrosse a beau se retourner dans tous les sens, elles semblent venir de partout à la fois.

Les lambeaux de rideaux se soulèvent, le portillon d'une balustrade bat sans s'arrêter. Labrosse réussit à puiser en lui un peu d'énergie et se précipite vers la sortie. En courant, il se répète tout bas:

— Les fantômes n'existent pas, les fantômes n'existent pas!

À plusieurs mètres de là, il s'arrête pour reprendre son vieux souffle, se retourne. Il entend encore le rire.

— Ma foi du bon Dieu, cette église-là est hantée! s'exclame-t-il en faisant son signe de croix.

Et il repart à toutes jambes vers le village. Mais après avoir fait quelques pas seulement, il s'allonge dans une clairière, épuisé.

En quête d'enquêtes

Lorsqu'on passe dans la rue Principale de ce petit village frontalier, on trouve l'inévitable stand à patates frites. Mais celui-ci a ceci de particulier: il ne sert plus de stand mais d'agence de détectives. Au-dessus de la porte d'entrée, on peut lire sur une enseigne aux lettres jaune orange: AGENCE NOTDOG, du nom de sa mascotte, le chien le plus laid du village.

Le stand a été cédé à ses nouveaux occupants par Steve la Patate lui-même. Sa réputation de roi de la patate frite lui amène tellement de monde qu'il a dû déménager juste à côté du stand, dans un local beaucoup plus grand.

Inaugurée la veille à peine lors d'un

party aux sandwiches pas de croûtes, l'agence ouvre ses portes justement ce matin. S'y trouvent les trois membres du personnel.

Jocelyne, douze ans, heureuse propriétaire de Notdog, jolie brune aux cheveux bouclés dont la curiosité est sans limites. Agnès, même âge, une grande rousse à l'intelligence vive, qui en a pour cinq ans à porter des broches aux dents, en haut et en bas. John, même âge toujours, l'Anglais blond fortuné à lunettes rondes qui fait sans arrêt des fautes de français.

Les trois inséparables, comme tout le monde au village les appelle, ont déjà une expérience d'enquêteurs. Ils ont en effet brillamment résolu l'affaire de trafic d'héroïne qui avait semé l'émoi au village*. C'est à la suite de cet exploit que l'idée de l'agence leur est venue. Elle règle en même temps l'épineux problème qui se présente à eux chaque année: qu'est-ce qu'on va faire tout l'été?

— J'espère qu'on n'aura pas trop de

---

*Voir *La Patte dans le sac*, chez le même éditeur.

clients, dit Jocelyne, optimiste.

Elle déroule une affiche représentant des chevaux et l'installe au mur, en guise de décoration.

— Faudrait d'abord en avoir un. Il est déjà onze heures et on a vu personne encore, répond Agnès.

Elle dispose alors quelques objets sur leur bureau, une table à cartes gracieusement prêtée par ses parents.

— Un peu de patience, les filles! Vous allez voir, on va en attraper d'autres, des caramels! s'exclame John en balayant le plancher.

— Criminels, John, on dit criminels, pas caramels, le reprend Agnès.

Chacun s'affaire en attendant. On aiguise des crayons. On place par ordre alphabétique les romans policiers que John a apportés. Car dans les films, les détectives ont toujours des livres qui traînent dans leur bureau.

Cette fin de semaine du 24 juin s'annonce ensoleillée. Au grand bonheur de tous puisqu'il y a tombola au village.

Toc, toc, toc!

Enfin! John va ouvrir. Steve la

Patate entre.

— Qu'est-ce qu'on peut faire pour toi, mon cher Steve? demande Jocelyne avec sérieux.

— Vous pourriez peut-être m'aider.

L'espoir se lit sur les trois visages attentifs.

— Euh, bien, euh, j'ai perdu un vieux chaudron. Il ne serait pas ici par hasard?

— Celui tout bosselé avec des taches de graisse? demande Agnès, visiblement déçue par la requête de Steve.

— Oui oui, celui-là.

— Dans la cour, à côté du vieux cancer sans pneus monté sur des blocs, lui indique Agnès.

— Merci bien. Vous irez loin comme détectives, ça c'est certain! leur dit Steve en sortant récupérer son chaudron.

Les trois inséparables soupirent.

— Pensez-vous qu'il a voulu rire de nous autres?

La question de John ne reçoit pour réponse que des haussements d'épaules.

Toc, toc, toc!

Cette fois-ci, c'est Jocelyne qui bondit vers la porte.

— Qu'est-ce que tu fais là, toi?

Elle se retourne vers les autres.

— C'est le p'tit Dédé Lapointe.

Dédé Lapointe, de son vrai nom André, un petit de six ans, charmant, mais extrêmement tannant, fait son entrée. Il s'assoit sur la chaise pliante réservée aux visiteurs. Il dépose les deux petites voitures qu'il tient dans sa main droite et commence alors à parler.

— J'ai un problème.

— Ah oui? dit Agnès, qui essaie de dissimuler son fou rire.

— Oui. On me vole.

— Oh! Et on te vole quoi?

— Des sous noirs dans mon cochon. Pensez-vous que c'est mon frère ou des voleurs du crime organisé?

John fait semblant de réfléchir.

— Hum, difficile à dire. Écoute, Dédé. La meilleure chose à faire pour l'instant, c'est de te cacher et d'attendre le voleur. Peut-être qu'il va viendre.

— Venir, John, pas viendre, dit bien sûr Agnès.

Dédé se lève déjà.

— O.K. Merci. C'est combien?

— Comme tu es notre premier client, ce sera gratuit, n'est-ce pas? répond Jocelyne, qui adresse un clin d'oeil aux deux autres.

— Oui, oui, disent-ils en choeur.

Et Dédé ramasse ses voitures et sort sans se retourner.

Les trois détectives éclatent de rire, mais bientôt la bonne humeur fait place à de l'impatience.

— Notre annonce n'est peut-être pas assez visible dehors.

— Voyons, Jocelyne! Le jaune orange phosphorescent, ça se voit de loin, rétorque Agnès.

— Peut-être que les bandits ont congé eux aussi pour la Saint-Jean-Baptiste, lance John.

Agnès va protester quand on frappe à la porte. Toc, toc, toc!

— Encore une niaiserie, marmonne Agnès en allant ouvrir sans empressement.

"C'est ça, encore une niaiserie", pense-t-elle en apercevant le père Labrosse. Mais elle l'invite poliment à entrer.

Qui a peur des fantômes ?

Il s'installe sur la chaise, s'allume un vieux bout de cigarette ramassée on ne sait où. Et il demande:

— Croyez-vous aux fantômes?

Une heure plus tard...

Après avoir raconté son histoire, Labrosse est reparti. Son récit lui a donné soif. Il est donc allé s'acheter un petit dix onces, histoire de déjeuner.

À l'agence, on se prépare à manger en discutant.

— Il ne sent pas si mauvais que je croyais, le vieux Labrosse. À votre avis, il dit vrai ou il raconte des histoires de gars saoul? commence Agnès, en étalant une couche de beurre doux sur une tranche de pain aux raisins.

— Difficile à dire. Ce que je trouve bizarre en tout cas, s'il ne raconte pas de mensonges, c'est qu'il s'adresse à nous. Pourquoi pas à la police? Jocelyne déballe les restes de poulet froid apportés de chez elle.

Du côté de John, on entend:

— Humpf, humphf, gnompf.

— Pardon? demandent les deux filles.

L'énorme bouchée de beurrée de beurre d'arachides avec des tranches de banane lui colle au palais. Il mâche presque à s'en décrocher les mâchoires pendant au moins deux minutes. Puis:

— Personne au village ne croirait son histoire: tout le monde le traite de vieux fou et de charogne!

— Ivrogne, John, pas charogne, ivrogne. De toute façon, moi, je ne crois pas aux fantômes, dit Agnès.

— Moi oui, réplique Jocelyne. Tu sais Mme Caouette? Quand son mari est mort, elle a entendu pendant plusieurs semaines sa voix venant de la cheminée.

John continue:

— C'est vrai, ça. Et il y a aussi la maison du rang des Pierres. En plein hiver, il pousse des tulipes dans le jardin.

— Tu les a vues? questionne Agnès, soulevant son sourcil droit comme elle le fait toujours quand elle est sceptique.

— Non, mais un ami d'un ami du voisin de mon cousin, oui. Ça doit être vrai. Mais ça ne me fait pas peur! Emmenez-en des fantômes: c'est moi qui vais leur faire peur! D'un geste provocateur, John plante une paille dans sa boîte de jus de pomme.

Jocelyne boit d'un trait son verre de lait et ajoute, sûre de ce qu'elle avance:

— C'est comme chez les Gagnon. Mon oncle Édouard, qu'on ne peut pas traiter de menteur, dit qu'une des chambres de la maison est gardée verrouillée. Parce qu'il s'y passe des choses étranges. On entend des pas la nuit, et même parfois une chaise qui berce et craque.

Silence. Agnès se prépare une deuxième tartine de pain aux raisins. Chacun réfléchit, perdu dans une quelconque histoire de fantôme. Agnès reprend:

— C'est scientifiquement impossible.

— Alors, va passer une nuit toute seule chez Labrosse... dit John, un sourire en coin.

— Euh, quand même, non, euh, je

n'ai pas peur, mais ça ne se fait pas, il me semble. Et puis les bruits, pour moi ce sont des animaux.

— En tout cas, vrai pas vrai, je pense que ça vaut la peine de prendre l'affaire, dit Jocelyne. Et on doit aller voir ce qui en est, ce soir. Comme on dit dans les romans policiers: une affaire doit être réglée dans les heures qui viennent. Sans ça, les indices se perdent.

— Et les fantômes sortent la nuit, comme les chats, dit John.

— Alors, on se donne rendez-vous ici, ce soir à huit heures et on y va, propose Agnès.

Tout le monde se met d'accord.

— Oui, mais si... Beding! Bedang!

Jocelyne est interrompue par un bruit de poubelles qu'on renverse. On croirait un ouragan qui passe. Les trois enfants n'ont même pas le temps d'aller voir d'où provient tout ce vacarme. Arrive à toute vitesse dans l'entrée de l'agence la mascotte elle-même: Notdog, sale, essoufflé, les pattes mouillées. Jocelyne s'approche.

— Où étais-tu passé, toi? Tiens, il a

quelque chose dans la gueule. Qu'est-ce que c'est ça, Notdog? Allez, donne.

Elle prend le paquet de papiers dont quelques-uns s'envolent. Jocelyne examine, reste bouche bée, les yeux écarquillés. Elle s'adresse de nouveau à son chien:

— Aïe! Notdog, veux-tu bien me dire où est-ce que tu as trouvé ça?

Du bureau, John demande, impatient:

— Ça quoi?

Jocelyne se retourne, la liasse de papiers dans les mains:

— Des billets de dix dollars. Tous neufs. Et il y en a pour une petite fortune!

Quels motifs
les motivent?

Puisque Notdog est le chien de Jocelyne, c'est elle qui est chargée de suivre la piste des billets.

De son côté, Agnès, qui veut se dégourdir les jambes, insiste pour aller à bicyclette chez le vieux Labrosse l'informer qu'ils acceptent de s'occuper de l'affaire.

John trouve que finalement les opérations de l'agence débutent bien. Il décide de rester au bureau, pendant que les filles accomplissent leur mission, au cas où quelque chose d'autre se présenterait.

Elles partent donc chacune de leur côté.

Agnès fait la route lentement, profite

29

un peu du soleil chaud de ce début d'été. Arrivée en vue de l'église, elle aperçoit une voiture neuve, grise et étincelante.

Instinctivement, elle descend de sa bicyclette, s'approche sans bruit et va se poster près d'une fenêtre ouverte, sans se faire voir.

À l'intérieur, le vieux Labrosse a une conversation animée. Son interlocuteur est nul autre que Jean Caisse, le gérant de la caisse populaire de la rue Principale.

Surnommé "Intercaisse" par Joe Auto, le propriétaire du garage Joe Auto, Jean Caisse est un homme sérieux et propre. Il porte toujours son costume trois-pièces gris. Comptable de formation, Jean Caisse n'a que deux intérêts dans la vie: le premier, l'argent, le deuxième, le meilleur moyen d'en gagner toujours plus.

Quand les clients vont le voir pour en emprunter, il termine invariablement l'entretien avec la même phrase: "Ah, si ça poussait dans les arbres! Si on pouvait en faire nous-mêmes!" Mais il ne semble pas en avoir besoin, lui.

Agnès écoute.

— Labrosse, je veux absolument vous acheter cette église! dit Jean Caisse.

— Pas à vendre, répond Labrosse entre ses dents.

— Écoutez: le toit coule et les vitres sont cassées. Vous ne passerez jamais l'hiver ici.

— Toi non plus.

— Écoutez, monsieur Labrosse, il en va de votre santé. Et je vous en offre un bon prix.

— Ma santé est parfaitement bien conservée dans l'alcool. Et je suis sûr et certain que tu veux me voler, hein, Caisson ?

— Je vous offre trois fois le prix que vous l'avez payée!

— Ça doit être ça: tu veux me voler. Ça doit valoir pas mal plus.

— Mais non, c'est... c'est... c'est pour le terrain que je veux l'acheter.

— Jamais!

— D'accord, mais vous changerez sûrement d'idée très bientôt...

— Ah, oui? Pourquoi?

— Oh, disons le spectre de l'argent.

Là-dessus, Jean Caisse reprend sa serviette d'homme d'affaires, sort les clés de son auto neuve et repart en laissant derrière lui un petit nuage de poussière.

Agnès va sortir de l'ombre quand un bruit de moteur se fait entendre. "Non, ce n'est pas la voiture de Caisse, c'est une voiture qui arrive", pense-t-elle.

Elle va à l'extrémité du mur et voit une vieille Chevrolet rouge de 1977 s'approcher dans un vacarme croissant. Le conducteur l'arrête devant l'entrée de l'église, en sort en faisant claquer la portière et, sans frapper, entre dans le vieux bâtiment.

Agnès reprend son poste d'observation. "Tiens, qu'est-ce que Jimmy Picasso fait ici?" se demande-t-elle.

Jimmy Picasso est le caricaturiste local. Enfin, l'artiste local. Mais tout ce que les gens lui demandent, c'est leur caricature. Et il les fait très bien. Car Jimmy Picasso a beaucoup de talent. Il peut de fait reproduire n'importe quel paysage, visage, bref, n'importe quoi.

Jamais peigné, les doigts toujours tachés, Jimmy dit que s'il était riche, il serait propre. Il fait mille projets pour le temps où la fortune lui sourira. Mais pour l'instant:

— Aïe, Labrosse, tu peux dire merci à Jimmy Picasso! s'exclame-t-il, pompeux.

— Ah oui, pourquoi?

— Parce que je vais te débarrasser de la vieille église pourrie!

Labrosse le regarde sans réagir.

— C'est tout l'effet que ça te fait? Écoute, le vieux, je te l'achète, ton taudis.

— Pas à vendre.

Le sourire de Jimmy s'efface et:

— Comment ça pas à vendre? Ça tombe en ruine ici dedans. T'es chanceux que je veuille l'acheter, ça ne vaut rien!

— Si ça ne vaut rien, pourquoi tu l'achèterais, mon Jimmy?

— Eh bien, disons, euh, enfin... bien... la lumière. Oui, c'est ça. À cause de la lumière. Elle est parfaite pour dessiner.

— Non.

— Écoute, je t'offre trois fois le prix que tu l'as payée.

— Je reste ici, bon.

— C'est ton dernier mot?

— Oui.

— De toute façon, tu ne resteras pas longtemps.

— Ah oui? Et pourquoi?

— Je veux cette église. Disons que c'est une idée qui me hante.

— À bientôt, lance-t-il, le regard brillant.

Et Jimmy Picasso repart en trombe.

Labrosse va se servir un verre d'un alcool brunâtre. Agnès réfléchit: "Curieux tout ça. Cette église est abandonnée depuis des années et tout à coup plusieurs personnes s'y intéressent."

Avant d'aller voir Labrosse, elle décide d'attendre deux minutes, au cas où quelqu'un d'autre se présenterait. Jamais deux sans trois. Effectivement, soixante secondes plus tard...

Vroum, vroum, vroum! Arrive sur sa moto sans silencieux Bob les Oreilles Bigras lui-même.

Le motard de la place est grand, maigre, laid, mais pas bien dangereux. On ne lui connaît ni domicile ni métier. Il

Qui a peur des fantômes ?

aime bien insulter les gens dans la rue et faire gronder sa moto. Il n'a jamais l'air dans son état normal et entre d'ailleurs dans l'église de Labrosse en titubant un peu. Des yeux il inspecte les lieux et déclare:

— Oh, my! C'est chic, c'est chic. Mon vieux Labrosse, on peut dire que tu mènes la vie "d'autel"!

Et Bob éclate de rire.

— Qu'est-ce que tu veux, Bigras? Es-tu devenu pieux tout à coup?

— Non, mais je trouve ça pas pire icitte. Et je commence à penser à m'installer. C'est grand, ça ferait un beau hangar à bécyk. Ouan, je te l'achète ton église, mon Labrosse.

— Pas à vendre, Les Oreilles. Et même si ça l'était, c'est pas un tout nu comme toi qui pourrait l'acheter.

— Ah, non?

Et Bob Les Oreilles Bigras sort fièrement de ses poches des liasses de billets de dix dollars, tous neufs.

Nom d'un chien!

De son côté, Jocelyne suit Notdog.

Dès qu'elle lui souffle à l'oreille: "Allez, mon chien, montre-moi où tu as trouvé cet argent", Notdog adopte un air sérieux de chien policier. En fin limier qu'il croit être, il se colle le museau au sol, renifle et prend la direction du supermarché.

Une fois derrière le magasin, il fouille les poubelles. Jocelyne reste à l'écart, à cause de l'odeur. "Comment est-ce que les chiens font pour se mettre le nez là-dedans?" pense-t-elle en attendant.

Notdog passe d'une poubelle à l'autre, grimpe sur la grosse verte et en ressort tout fier avec... un os juteux.

— Notdog! Ce n'est pas ce que je t'ai demandé!

Notdog pose son os par terre et aboie en direction de sa maîtresse. Jocelyne, les poings sur les hanches, soupire:

— Bon, bon, je sais. Moi, j'ai mangé, mais pas toi. Tu as faim. Et tu as trouvé un bel os à moelle. D'accord, je t'attends. Mais dépêche-toi.

Notdog s'allonge, pose une patte sur son dîner.

— Après, tu m'emmènes où tu as déniché les billets, promis?

Un jappement et Notdog s'attaque à son os.

Pour patienter, Jocelyne va faire les cent pas dans la rue d'à côté, où son oncle Édouard, avec qui elle vit, tient une tabagie.

— Ah, tu tombes bien! s'écrie Édouard. Justement, je voulais te demander si tu pouvais aller souper chez John ou Agnès ce soir? On aurait besoin de moi pour terminer les derniers préparatifs de la tombola. Si on veut être prêt à temps pour ce soir...

— Pas de problème. Agnès veut

toujours que j'aille souper chez elle. Du moment qu'on ne mange pas des cigares au chou... répond Jocelyne.

Un client entre et Édouard s'en occupe. Jocelyne prend une tablette de chocolat au lait et retourne au supermarché.

Elle y retrouve Notdog se léchant les babines.

— Fini le festin? Allez, on y va maintenant!

Et Notdog fonce vers les limites du village.

Les chiens, c'est bien connu, préfèrent souvent les sentiers compliqués aux chemins déjà tracés. Notdog ne fait pas exception. Par la route, une demi-heure aurait suffi à amener Jocelyne à destination. Mais par les sentiers, les sous-bois, les ruisseaux à traverser, où Notdog a fait passer sa maîtresse, il a fallu deux bonnes heures.

C'est donc exaspérée, écorchée et épuisée que Jocelyne arrive en vue de l'église de Labrosse.

— T'es vraiment nono des fois, Notdog. C'est Agnès qui était chargée de venir ici, pas moi!

Au loin, elle voit soudain Labrosse sortir de chez lui. Il ferme à clé, même si on peut entrer par n'importe laquelle des fenêtres brisées. D'un pas lent et traînant, il se dirige vers la route. Le regardant aller, Jocelyne dit à Notdog:

— Il doit déjà aller fêter la Saint-Jean-Baptiste. Il est presque quatre heures. Nous aussi, on va devoir rentrer bientôt. Si on veut avoir le temps de souper avant de revenir à la chasse aux fantômes. On se repose dix minutes et on repart, dit Jocelyne à son chien sur un ton de reproche.

Elle s'installe dans l'herbe, soupire:

— De quoi je vais avoir l'air devant les autres? Tu ne deviendras jamais un bon détective, Notdog.

Le chien fait mine de s'en aller, mais à l'opposé de la route. Il se retourne, regarde Jocelyne. Il fait quelques pas, s'arrête, se retourne encore.

— Qu'est-ce que tu veux? C'est de l'autre côté, le village. Tu ne sais plus ton chemin maintenant? Puis cette fois-ci, on retourne par la route!

Notdog ne bouge pas. Il jappe.

— Tu veux que je te suive, c'est

ça? Tu ne trouves pas que tu m'as assez fait marcher aujourd'hui?

Notdog insiste.

— Bon, bon. Tu as encore senti un os, je gage?

Et Jocelyne se lève pour le suivre, à contrecoeur.

Notdog va vers l'église, la contourne et se dirige vers ce qui semble une remise, à proximité. Elle est encore plus délabrée que l'église, avec des carreaux si sales qu'ils semblent avoir été couverts de graisse ou de peinture de mauvaise qualité.

Notdog gratte à la porte.

— Tu veux que j'entre là? C'est tout sale!

Mais comme Notdog ne bouge pas, Jocelyne tourne la poignée.

— Verrouillée.

Elle la secoue un peu, rien ne cède. Machinalement, elle se lève sur la pointe des pieds et passe sa main sur le cadre. C'est là que tous les villageois cachent la clé de leur remise.

— Voilà la clé, Notdog. Tiens, il n'y a pas de poussière dessus. Elle a donc servi récemment.

Jocelyne ouvre.

Il y a des outils, des chiffons, des toiles d'araignées, bref, ce qu'on trouve habituellement dans une remise. Des grains de poussière voltigent dans un rayon de soleil. Jocelyne les suit des yeux jusqu'à terre.

— Tiens, tiens...

Elle se penche.

— Des billets de dix dollars...

Elle se tourne vers Notdog:

— Excuse-moi. Je retire tout ce que j'ai dit. Tu es un as détective.

Au fond de la remise, il y a un rideau. Jocelyne le soulève. Une porte. Elle s'ouvre sur un escalier.

— Je vais descendre voir. Toi, tu retournes dehors et tu fais le guet. Tu as bien compris?

Elle lui flatte la tête doucement et Notdog va se poster devant l'entrée. Elle descend une à une les marches, trouve un interrupteur, allume.

La cave est vide. Elle en fait le tour, trébuche sur une dalle dépassant légèrement des autres.

Un pan du mur s'ouvre. Elle va voir derrière et reste interloquée devant le spectacle qui s'offre à elle.

— Nom d'un chien!

Des soupçons
se dessinent

Quant à John, il a attendu de nouveaux clients pour rien.

Il a lu une bande dessinée, regardé longuement la rue tranquille en cette journée de congé. Douze fois au moins il a compté le nombre de billets apporté par Notdog, 50 X 10$, et les a examinés à la loupe, sans pouvoir conclure s'ils sont vrais ou faux.

Il a ensuite passé quinze bonnes minutes à examiner ses muscles dans un vieux miroir terne oublié là par Steve. Ou plutôt à essayer de s'en trouver quelques-uns.

En forçant bien, John peut faire apparaître une minuscule bosse à l'emplacement des biceps. Il arrive aussi à gonfler un peu sa poitrine en prenant une grande inspiration et en la retenant longtemps. Il était presque bleu quand des bruits de voix venant de la rue l'ont attiré dehors.

Juste à côté de l'agence, Steve la Patate a installé des tables à pique-nique où ses clients peuvent déguster les meilleurs hot-dogs, hamburgers et patates frites de la région.

C'est là que Jimmy Picasso vient d'installer son chevalet en criant:

— Quelqu'un veut faire faire sa caricature? C'est le moment parce que cet après-midi, c'est gratuit. Je me pratique pour la fête de ce soir.

Un petit attroupement se forme. Jean Caisse, qui passe justement par là avec l'intention de s'offir une poutine râpée, saute sur l'occasion.

— Gratuit? Alors allons-y! Et il s'installe sur le tabouret destiné au modèle.

— Tu ne manques pas une aubaine, hein, Caisse? dit Picasso en commençant le dessin.

Mais on n'entend pas la réplique de Jean Caisse, car Bob les Oreilles Bigras

Qui a peur des fantômes ?

arrive en trombe. Il entre chez Steve, commande un "red hot michigan" et vient se poster devant l'artiste et son modèle.

— Pour dire comme on dit: qui s'assemble se ressemble... dit Bob les Oreilles Bigras en prenant une énorme bouchée.

— Qu'est-ce que tu veux insinuer par là, Les Oreilles? demande poliment Jean Caisse.

— Oh, rien. Seulement, il y en a qui redeviennent religieux tout d'un coup, on dirait... Bob les Oreilles essuie la sauce qui dégouline le long de son menton.

— Et toi? Depuis quand tu parles en paraboles? dit Picasso sans lever les yeux de son dessin.

Bob les Oreilles fait semblant de ne rien entendre.

— Tu dessines bien, Picasso. Mieux que tu nous le montres. Il me semble que tu devrais faire autre chose que de la caricature. Des images saintes peut-être, pour décorer une église? Tiens, je suis certain que la grosse Caisse, là, paierait pour ça. De l'argent, il en a tellement qu'on dirait qu'il en fait...

Jean Caisse se lève, indigné:

— Tes insinuations, Bigras, va les faire ailleurs. Quant à moi, tu peux aller au diable.

Bigras répond du tac au tac en le regardant:

— J'aurai pas loin à aller pour ça... C'est à côté de lui que je suis, non?

Jean Caisse s'adresse alors à Jimmy Picasso:

— Monsieur Picasso, pouvons-nous poursuivre ce portrait plus tard? Je déteste être importuné par un voyou.

— Certainement. Ce soir, sur le site de la tombola.

Jean Caisse s'en va. Bob les Oreilles va s'acheter un cola, comme s'il n'avait pas déjà assez de boutons comme ça. Jimmy Picasso les regarde s'éloigner.

C'est alors qu'arrive Agnès, marchant à côté de sa bicyclette. Elle s'approche de John qui lui dit:

— Qu'est-ce que t'as fait tout ce temps-là? Ça fait des heures que tu es partie! Labrosse...

Agnès l'interrompt:

— Chut! J'ai eu une crevaison et

j'ai dû marcher. Viens.

Ils entrent à l'agence. Agnès raconte à John le va-et-vient auquel elle a assisté chez le père Labrosse. John fait le récit de l'échange dont il vient tout juste d'être témoin.

— Voyons. Picasso, Caisse et Les Oreilles veulent acheter l'église du vieux pour trois raisons différentes, dit-il.

— C'est ça.

— Et on dirait que les raisons données ne sont pas les bonnes. À cause des habitations de chacun.

— Hésitations, John, pas habitations.

— Comme tu dis. Bon. De plus, la maison est hantée.

— C'est une supposition, ça, John.

— Admettons. Les acheteurs le savent-ils?

— Je ne crois pas.

Sur ce, on frappe. Agnès va ouvrir.

— Encore toi?

Dédé Lapointe fait son entrée. Il a les joues et les mains noires. Il dépose un camion-pelle miniature sur le bureau et prend place dans la chaise. Il renifle trois fois et dit:

— J'ai attendu, mais personne est venu voler dans mon cochon. Ça doit être des vrais bandits parce que j'ai demandé à mon frère si c'était lui. Il dit que non.

— Bon, c'est réglé. Tant mieux, réplique John.

— Oui, mais j'ai un autre problème. Ma soupe aux épinards n'était pas bonne. Pensez-vous que quelqu'un veut m'empoisonner?

Levant les yeux au ciel, Agnès demande:

— Aimes-tu les épinards, Dédé?

— Beurk!

— Je pense que tu te fais des idées, Dédé. Personne ne veut t'emprisonner, dit John.

— Empoisonner, John, pas emprisonner.

Dédé sort alors quelque chose de sa poche.

— O.K., d'abord. J'ai trouvé ça dehors.

Il tend un objet rond et brillant, juste un peu plus grand qu'une pièce de vingt-cinq sous. Agnès le saisit.

— La médaille de Notdog! Où l'as-tu trouvée?

— À terre, en face de l'agence.

Et Dédé sort, aussi sérieusement qu'il était entré.

L'après-midi tire à sa fin. Jocelyne n'est toujours pas de retour, ce qui commence à inquiéter ses deux amis.

— Tu crois qu'il lui est arrivé quelque chose, Agnès?

— Hum. Notdog l'a peut-être entraînée loin, suppose-t-elle.

— Peut-être... Et si elle était partie jouer aux quilles?

— Franchement, John! Non, elle n'a pas terminé sa mission, c'est tout. Et on la verra au rendez-vous ce soir.

— J'espère...

Qu'est-ce qu'on fait?

Huit heures du soir. Toujours à l'heure, comme une montre à quartz, Agnès est au rendez-vous, devant l'agence. Au bout de la rue, elle voit déboucher John qui s'amène en courant. Essoufflé, il s'assoit sur les marches.

— Mon Dieu, mais tu es bien pâle! Qu'est-ce qu'il y a? Il t'est arrivé quelque chose? s'inquiète Agnès.

— J'ai mal au coeur! J'ai trop mangé de pâté chinois.

— John! C'est vraiment pas le moment de niaiser.

— Ça va passer. J'ai un estomac d'enfer.

— De fer, John, pas d'enfer, le reprend Agnès, machinalement.

Silence. Ils attendent Jocelyne. Des familles, des bandes d'enfants, un groupe de grand-mères passent devant eux. Ils se rendent tous au parc municipal où a lieu la tombola.

Le chef de police s'y rend, lui aussi, accompagné du maire Michel. Pas loin derrière eux, avec ses parents, Dédé Lapointe les suit. Rendu à la hauteur de John et Agnès, il leur montre du doigt son cochon qu'il transporte et leur fait un clin d'oeil.

— Aïe! Dédé a encore peur de se

faire voler ses sous! C'est vraiment une idée fixe! souffle Agnès.

Dix minutes passent. Toujours pas de Jocelyne. Agnès fronce les sourcils:

— Elle n'a pas l'habitude d'être si en retard.

— Je sais. On devrait peut-être avertir son oncle, suggère John.

— Elle est peut-être sur une piste très sérieuse, dit Agnès, pas très convaincue elle-même de ce qu'elle avance.

— Tu ne trouves pas que ça fait beaucoup de mystères dans une journée? demande John.

— Pas mal. Alors, qu'est-ce qu'on fait?

— On devrait remettre l'expédition à demain et chercher Jocelyne.

— Et si elle a décidé de nous rejoindre là-bas? Elle sera fâchée si on ne se pointe pas. Et puis, ce soir, on a le droit d'être dehors. Ma mère pense que je vais passer la soirée à la tombola à manger de la mousse rose. Je peux rester dehors jusqu'à onze heures. Demain, elle ne me laissera pas sortir si tard.

John hésite.

— Ma mère non plus. Mais si Jocelyne n'est pas là? Ça voudra dire qu'il lui est arrivé quelque chose. Et il sera peut-être trop tard.

Agnès ajoute alors:

— Je sais que ça ne fait pas très détective sérieux, mais quelque chose me dit qu'il faut absolument qu'on y aille ce soir.

— L'institution?

— Non, John, pas l'institution, on dit l'intuition. Alors?

— D'accord.

Et les voici en route pour l'église hantée.

Esprit, es-tu là?

À bicyclette, ils mettent à peine quinze minutes pour se rendre à l'église en ruine. Pendant ce temps, le jour qui disparaissait doucement dans un ciel rose a fait place à une nuit claire.

Beaucoup d'étoiles, beaucoup de grenouilles qui coassent dans un étang tout proche. La lune bien ronde éclaire parfaitement les arbres. Elle projette leur ombre très loin et donne ainsi à l'endroit une atmosphère quelque peu étrange.

Pas de Jocelyne en vue.

Ici et là, un bruissement de feuille, un craquement de branche. Impressionné, John chuchote:

— C'est loin d'être rassurant ici.

Flegmatique, Agnès se tait et poursuit son avance. Sur le pas de la porte, elle hésite, puis tente d'ouvrir. La serrure cède. La porte grince.

— Je ne vois pas pourquoi Labrosse ferme à clé: la serrure est cassée! s'étonne Agnès.

Et ils pénètrent dans le domicile du vieux.

Tout est plongé dans le noir. Seuls quelques rayons de lune se frayent un passage à travers des vitraux usés. John tâte le mur pour trouver de la lumière. Il actionne l'interrupteur: rien ne se produit.

— Ça commence bien, marmonne-t-il.

En même temps, il fouille dans ses poches et en sort un carton d'allumettes. Il en frotte une. L'endroit est désolé. Des chaises éparpillées, de vieux journaux, des bouteilles d'alcool vides qui traînent.

— Ouch! crie John.

Agnès sursaute.

— Qu'est-ce qu'il y a?

— Je me suis brûlé les doigts!

— Fais attention!

Agnès lui prend les allumettes, en frotte une à son tour.

Ils s'avancent. Au centre de la pièce, ils trouvent des bouts de chandelles sur un banc. Ils en allument quatre. L'éclairage produit est tout ce qu'il y a de plus lugubre.

Agnès fait quelques pas prudents vers la gauche, John vers la droite. Rien ne bouge.

— Eh, Agnès, il n'y a pas de fantô...

Kekling, keklang! John ne finit pas sa phrase. Il a trébuché sur une boîte de conserve vide et s'affale de tout son long avec grand fracas.

Agnès accourt à son aide, le remet sur pied.

— Tu t'es fait mal?

En guise de réponse, elle entend un éclat de rire. Mais celui-ci ne vient pas de John.

Agnès et John retiennent leur souffle, promènent leurs yeux dans toutes les directions. Soudain, une porte claque.

— C'est rien, c'est le vent, suggère Agnès.

Une chaise se met à branler, puis va

Qui a peur des fantômes ?

se jeter contre le mur.

— C'est le vent encore, je suppose? articule péniblement John.

Et voilà qu'une balle venue d'on ne sait où bondit plusieurs fois dans la pièce pour s'immobiliser près d'eux. Un rideau se soulève, sans que le vent souffle.

Silence.

Boum! boum! boum! Des pas lourds montent un escalier... invisible. John, à peine audible, dit:

— T'es certaine que les fantômes n'existent pas?

C'est alors que le portillon de la balustrade commence à grincer. Il bat lentement, tout seul. Soudain, un coup de tonnerre retentit qui glace les deux détectives. Car il fait beau dehors. Le bruit vient de l'intérieur.

— Qu'est-ce qu'on fait? demande la voix angoissée de John.

— On sort d'ici! chuchote Agnès, ravalant sa salive, épouvantée.

Mais un éclat de rire résonne dans l'église vide qui le renvoie en écho, accompagné des pas cette fois-ci traînant des chaînes. Au plafond, le lustre se balance.

— Ah! Agnès fait un bond de côté. Un morceau de cristal du lustre vient de tomber à ses pieds.

Les bruits s'amplifient, le rire est de plus en plus fort, la chaise va s'écraser contre un autre mur, une autre balle surgit, la balustrade bat frénétiquement. Un grand cri vient déchirer l'atmosphère.

C'est à ce moment-là qu'une ombre se déplace, gigantesque, au fond de l'église. Elle s'avance lentement le long du mur, les bras pendants, se rapprochant.

John agrippe alors la main d'Agnès et la tire avec difficulté. Agnès est paralysée de peur. De toutes ses forces, John l'entraîne vers la sortie. De là, ils courent et courent et courent sans voir vraiment les obstacles, les évitant, comme s'ils avaient des antennes.

Agnès sort peu à peu de sa torpeur. À bonne distance de l'église, ils ralentissent leur course, haletants. Mais ils entendent tout à coup un rythme de pas qui n'est pas le leur.

Les pas sont légers, mais n'ont rien

d'humain. Ils se rapprochent. Paniqués, les enfants reprennent leur fuite. Mais les pas les rattrapent et:

— Wouf! wouf!

John s'arrête net, se retourne.

— Notdog! Qu'est-ce que tu fais là!

Vite, ça presse!

Notdog fait comprendre très vite à John et Agnès qu'ils doivent le suivre. Ce qu'ils hésitent beaucoup à faire.

— Il veut nous entraîner vers l'église encore, conclut John.

— Pas question! dit Agnès, encore toute bouleversée.

La nuit est silencieuse. Les manifestations de l'église hantée semblent s'être terminées avec la fuite des deux inséparables. John réfléchit:

— Écoute, Agnès. Si Notdog est ici tout seul, c'est que Jocelyne n'est pas loin. Il faut le suivre!

— Tu as sans doute raison, dit-elle, indécise et immobile.

— Allez, prends ton garage à deux

mains!

— Courage, John, pas garage. Des fois, on dirait que tu fais des erreurs nonottes par exprès.

John lui sourit, sans répondre. Notdog s'impatiente, tourne autour d'eux. Agnès prend une longue respiration et le petit groupe se met en branle, prudemment, sans faire de bruit.

Notdog ouvre la marche. Il passe en retrait de l'église, la contourne et se dirige vers la remise. Une fois là, il change d'idée et fait les quelque trente pas qui séparent la remise de l'église. Il se poste à côté d'une touffe de longues herbes qui poussent devant un soupirail.

— Regarde, John, on voit de la lumière, chuchote Agnès.

— Chut, on entend du bruit aussi.

Avec grande précaution, ils s'accroupissent devant le soupirail. Une voix forte leur parvient:

— Aïe! On l'a eu encore une fois, le vieux Labrosse.

Une autre voix enchaîne:

— Certain! Ou bien il va finir par partir, ou bien il va avoir une crise cardiaque tellement il aura peur.

La première voix:

— On va toujours bien finir par pouvoir travailler en paix, comme avant.

La deuxième voix:

— Moi, ce que j'aime le plus, c'est rire dans le micro et lancer la balle. Ou bien tirer la corde qui fait bouger la chaise.

La première:

— Moi, c'est partir le magnétophone avec les bruits de pas qui traînent des chaînes. Ou les bruits de tonnerre. Ça fait toujours un effet boeuf!

La première:

— Le lustre qu'on fait trembler, c'est pas pire, ça aussi. Ou l'ombre projetée sur le mur: ça ferait peur au diable lui-même!

Les deux hommes rient. Agnès et John se regardent, muets, et écartent avec soin quelques herbes.

Ils voient une cave éclairée. Au centre, deux hommes actionnent une machine. Ils continuent à parler.

— Tu vas voir, je lui donne deux semaines maximum à Labrosse pour ramasser son linge et disparaître. Et quand bien même il irait raconter que sa maison est hantée, personne ne viendra vérifier. Tout le monde va dire qu'il s'imagine des choses parce qu'il boit comme une éponge.

— C'est vraiment une bonne idée qu'a eue le chef, hein, Joe Binne?

À une des extrémités de la machine sortent des papiers mauves. Des billets de dix dollars. Agnès murmure:

— C'est une presse! Une presse à faux billets.

Soudain, une petite voix claire, jeune, s'élève:

— Laissez-moi partir! Vous allez voir. On va me chercher partout et on va vous découvrir! lance Jocelyne, attachée sur une chaise dans un coin sombre de la cave.

Joe Binne la regarde d'un air faussement moqueur:

— Pas de danger, la fille. On va se débarrasser de toi bien avant. On finit juste notre commande et on s'occupe de ça, n'est-ce pas, mon Charlie?

Comme réponse, Charlie se contente d'un sourire méchant, qui n'annonce rien de bon. Et la presse roule de plus belle.

D'un accord tacite, John et Agnès s'éloignent dans le plus grand silence de leur point d'observation. Notdog les suit, sans un jappement. Comme si d'instinct il savait qu'il doit tenir sa langue.

Arrivés à une distance assez grande pour pouvoir parler sans être repérés, ils se dissimulent derrière une grosse pierre.

— Ils nous ont bien eus! dit John tout bas, mais insulté.

— Dire que j'ai eu la peur de ma vie à cause de fausses manifestations de fantômes! poursuit Agnès, outrée.

Puis:

— En ce moment, c'est Jocelyne qui doit avoir une peur bleue. Il faut trouver un moyen de la sortir de là.

Les deux amis réfléchissent. John lance:

— On peut dire qu'on est chanceux quand même. Ce matin, on avait deux affaires sur les bras. Mais maintenant, les deux affaires ne font qu'une.

— Ce qui m'agace, c'est que les deux hommes dans la cave sont des inconnus. Pourtant, je suis certaine qu'un de nos acheteurs de cet après-midi joue un rôle dans cette histoire.

Agnès caresse les oreilles de Notdog:

— Bon chien, qui nous a conduits à Jocelyne. Sans toi, qu'est-ce qu'elle serait devenue?

— Tu vas un peu vite, je trouve. Elle est toujours prisonnière. Comment faire? demande John.

— En tout cas, il est hors de question d'entrer dans la cave. Les deux hommes sont de vraies armoires à glace.

— Hum.

Silence.

Quelques minutes s'écoulent.

— Dis donc, Agnès, tu crois que les adultes ont peur des fantômes?

— Oh, oui! Pourquoi? Tu as une idée?

— Peut-être bien.

Qui a peur
des fantômes?

Neuf heures et demie. Quelques nuages passent devant la lune. Un renard roux reniflant une piste passe tout près de John et Agnès. Dans les arbres, on entend des battements d'ailes frôlant le feuillage. La nuit est douce, calme.

— Prête? demande John.

— Prête pas prête, j'y vais! répond-elle.

Elle se tourne vers Notdog et lui dit:

— Tu as bien compris? Tu restes caché près de la remise.

Notdog bouge la queue, lui donne la patte. "J'espère que t'as compris..." pense-t-elle.

Puis, à pas de loup, ils se dirigent

tous trois vers l'église, où John et Agnès entrent sans faire de bruit. Leur premier geste est de ramasser les vieux journaux pour les empiler dans un coin. Le deuxième, de se serrer les mains en guise d'encouragement mutuel.

À force de marcher dans la pénombre créée par la lune, leurs yeux ont fini par s'y habituer. Les chandelles se sont éteintes depuis longtemps. John cherche la balle qui bondissait toute seule et la trouve. De son côté, Agnès agrippe une chaise. Elle la soulève et commence à frapper le sol en donnant des coups réguliers.

Toing! toing! toing! toing!

Au sous-sol, Joe Binne lève la tête.

— T'entends, Charlie?

— C'est quoi? Le vieux? questionne Charlie.

Toing! toing! toing! toing!

— Non, il est parti en vitesse tantôt. Pas mal plus vite que d'habitude même. C'est probablement un porc-épic qui est entré par la porte ouverte, dit Joe Binne.

Les deux hommes se remettent à leur travail.

John lance la balle au mur de toutes

ses forces, ce qui la fait rebondir de tous côtés.

— Ton porc-épic joue au baseball, on dirait, remarque Charlie.

— On dirait. On va aller voir ça.

Il se rend près d'un établi au fond de la pièce et le tire vers lui. Derrière s'ouvre un passage, avec un escalier. Il s'y engage.

John et Agnès entendent les bruits de pas. À la vitesse de l'éclair, ils se réfugient sous la pile de journaux. Un pan de mur sur lequel un artiste sans talent a peint des angelots, s'ouvre. Joe Binne apparaît.

Avec une lampe de poche, il fait le tour de la pièce. Tout est calme. Il retourne d'où il est venu.

— Rien, fait-il pour tout commentaire.

Il se remet au travail.

En haut, John sort de sa cachette et se met à courir tout le tour de la pièce. Agnès se fait un porte-voix avec un carton et commence à pousser des plaintes d'une voix grave et traînante.

— Ahhhhhhh! Hiiiiiiiii! Angggggggg!

— Le porc-épic est allé chercher sa

famille... ironise Charlie d'un ton pas trop sûr.

En haut, la fête continue. John lance une chaise contre un mur. Agnès cogne des bouteilles les unes sur les autres. Joe Binne remonte.

Silence.

— Qui est là? demande-t-il.

Pas de réponse. Cette fois-ci, il avance dans la pièce. John et Agnès, sous leurs journaux, croisent les doigts et espèrent ne pas être découverts. Ils retiennent leur souffle. Joe Binne passe tout près d'eux, fait un pas de côté, pile sur le petit doigt d'Agnès qui retient à grand-peine le cri qu'elle a au bord des lèvres. Il s'éloigne, déplace quelques chaises. Il s'en retourne.

— Charlie, on travaille trop. On a des hallucinations.

— Penses-tu?

Joe Binne n'a pas le temps de répondre que la fiesta repart. Les deux hommes montent ensemble. Rien ne bouge. Mais un grand éclat de rire leur parvient de l'extérieur. Ils s'y précipitent. Personne.

— J'aime pas ça, Joe.

— On va finir vite et s'en aller, on a presque fini notre commande, dit Joe, mais sa voix autoritaire est mal assurée.

Ils redescendent au sous-sol, s'installent et accélèrent la cadence.

Jocelyne, terrorisée, ose à peine respirer. Elle se demande ce qui va lui arriver. Elle peste en silence contre Notdog qui l'a entraînée ici et qui ne l'a même pas avertie quand les deux hommes sont arrivés. Elle souhaite en même temps qu'il vienne la délivrer, mais comment? Et elle jure en silence qu'elle abandonnera le métier de détective si jamais elle sort de là vivante.

C'est alors que l'établi commence à trembler tout seul et que les outils et les boîtes de conserve qui contiennent des clous s'entrechoquent.

Au même moment, des coups sont frappés au soupirail qui éclate en mille morceaux.

Soudain, un hurlement de loup déchire l'atmosphère. Les deux hommes, figés, se regardent.

— Haououououou! Haououououou! Notdog, bon imitateur, hurle encore.

— Moi, je reste pas ici une minute

de plus, décide Charlie, qui ouvre le pan de mur secret par où Jocelyne est entrée et s'élance vers la sortie.

— Moi non plus, marmonne Joe Binne.

Jocelyne voit sa chance. Ils l'abandonneront là. Mais elle est aussi morte de peur à l'idée de rester la proie des fantômes.

Joe Binne monte l'escalier, mais revient sur ses pas.

— Pas de témoins, dit-il.

Il détache Jocelyne et lui saisit si fermement les poignets qu'il lui fait mal.

Il grimpe l'escalier quatre à quatre, à la suite de Charlie qui est déjà loin. Mais il n'a pas fait trois pas dehors que Notdog, qui voit sa maîtresse malmenée, lui saute aux mollets, le mordant sauvagement. Joe Binne s'effondre de douleur.

En même temps, John pousse l'établi qu'il faisait vibrer et se précipite en haut. Agnès quitte son poste au soupirail et, avec la bouteille vide qu'elle tenait pour fracasser la vitre, assomme Joe Binne.

John dégage Jocelyne, épouvantée.

Qui a peur des fantômes ?

Rapide, il cherche dans la remise de quoi attacher Joe Binne. Une fois les liens bien serrés, les trois amis prennent leur souffle.

— John! Agnès! Je pensais bien que j'allais mourir! sanglote Jocelyne en sautant au cou de ses amis tour à tour, émue et encore toute tremblante.

— Tu remercieras ton chien de nous avoir conduits jusqu'à toi, dit John.

Notdog est encore accroché à Joe Binne, les crocs plantés dans son mollet. Jocelyne va le flatter:

— Tu peux lâcher prise, mon gros. Il ne fera plus de mal.

— Bon. Une bonne chose de faite, mais le travail n'est pas terminé. Vous restez pour le surveiller et moi je vais chercher le chef de police, d'accord? suggère Agnès, énergique.

John et Jocelyne acquiescent.

— Il doit être à la tombola en train de lancer des dix sous dans des assiettes pour gagner des toutous en perruche, ajoute John.

— En peluche, John, pas en perruche.

Et Agnès saute sur sa bicyclette.

80

Le clou de la soirée

Au parc municipal, la tombola bat son plein. À peu près personne n'a remarqué l'arrivée d'Agnès, ni le départ en trombe du chef de police après qu'elle lui eut parlé.

Tout le village est de la fête. Des enfants ont mal au ventre d'avoir mangé trop de pop-corn. D'autres s'endorment dans les bras de leurs parents qui continuent à tirer sur des cibles ou à lancer des balles dans la bouche de clowns en bois.

Les parents de John, restés tranquillement chez eux à boire du thé, commencent à surveiller l'arrivée de leur fils qui doit rentrer bientôt.

Les parents d'Agnès, venus se

divertir un peu, ont rencontré leur fille lorsqu'elle est venue chercher le chef. Elle leur a raconté qu'elle s'amusait bien avec ses copains un peu plus loin. Rassurés, ils lui ont donné rendez-vous devant l'entrée du parc dans trois quarts d'heure.

L'oncle de Jocelyne, Édouard, ne l'a pas vue. Mais il a rencontré les parents d'Agnès, qui lui ont dit ne pas s'inquiéter. Elle est un peu plus loin, croient-ils. Et pourquoi ne jouerait-il pas au jeu de l'homme fort avec eux? Ce qu'Édouard accepte avec empressement.

Au milieu de la place, Jimmy Picasso finit la caricature de Jean Caisse commencée l'après-midi. Jean Caisse pose fièrement et dignement. Pas très loin de là, Bob les Oreilles Bigras dépense des sommes folles au bingo.

Tout le monde s'en donne à coeur joie et, encore une fois, personne ne remarque l'arrivée à la course de John, Agnès et Jocelyne, suivis du chef de police essoufflé et de deux de ses hommes.

Ils se frayent un chemin dans la

foule et s'arrêtent près de Bob les Oreilles Bigras.

— Aïe! le millionnaire, c'est fini les grosses dépenses. Suis-nous, ordonne le chef.

Bob les Oreilles, docile, surpris, se lève et les accompagne.

Ensuite, le chef ouvre le passage et va directement vers Jimmy Picasso et Jean Caisse. Ses deux hommes les entourent. D'un ton ferme, il dit:

— J'ai bien peur que ce portrait ne soit jamais terminé.

Etonné, Jean Caisse réplique:

— Encore!

Sur ce, Jimmy Picasso renchérit:

— Et en quel honneur, monsieur le chef?

— Parce que tu ne peux pas dessiner avec des menottes, Jimmy.

Rapide comme l'éclair, Picasso bondit et tente de s'enfuir, vainement. Les deux hommes du chef lui ont fait barrage et le tiennent solidement.

— Inutile d'essayer de fuir. Ton complice a parlé. Ton ami Joe Binne. Tu le connais, n'est-ce pas? Et Charlie? J'aurais jamais cru ça de toi, Jimmy.

Perdre ton beau talent comme ça.

Jimmy se tait. Il sait qu'il ne peut pas s'échapper. Il soupire devant son impuissance. Les yeux dans le vague, il voit à peine l'attroupement qui se forme autour de lui.

Les parents d'Agnès et l'oncle Édouard en font partie.

— Dégagez, dégagez, il n'y a rien à voir, dit le chef.

Il se tourne vers les enfants:

— Je vous dois une fière chandelle.

Il répond alors aux questions muettes des parents des enfants, qui observent sans rien comprendre.

— Mme Lambert, M. Lambert, Édouard, vos enfants viennent de rendre un grand service à la police. Ils ont découvert le repaire de faux-monnayeurs que nous cherchions depuis longtemps.

Une petite voix s'élève, celle de Jocelyne:

— Et c'est nous qui avons capturé le complice qui a tout révélé.

— Hum, heu, oui. C'est vrai. Je dois avouer qu'ils nous ont mis devant le fait accompli, ajoute le chef.

Mme Lambert se jette littéralement sur sa fille, Agnès:

— Mais vous auriez pu vous faire tuer!

— C'est fini, là, maman, ne t'inquiète pas. Je vais tout t'expliquer à la maison, la rassure Agnès, presque étouffée sous les baisers de sa mère.

— Moi aussi je vais t'expliquer tout à l'heure. On ramène John? demande

Jocelyne à son oncle qui, muet de stupéfaction, fait signe que oui.

Là-dessus, le chef s'éloigne avec Picasso et Bob les Oreilles Bigras. Après quelques pas, Les Oreilles se retourne vers les inséparables. Et pour bien exprimer son dégoût pour ces détectives à la gomme qui l'ont fait arrêter, il leur dit:

— Aïe, les flots! Vous me donnez le mal de mer!

On fait la lumière sur toute l'affaire

Le lendemain matin, le temps est à la pluie. La peinture orange de l'enseigne de l'agence, AGENCE NOT-DOG, dégouline sur les marches du stand.

Dans son ciré jaune, Jocelyne est la première à arriver. Elle est accompagnée d'un Notdog tout trempé qui en profite pour éclabousser les murs en se secouant.

Quelques minutes plus tard, John se montre le bout du nez, les lunettes embuées, l'imperméable couvert de boue.

— Qu'est-ce qui t'est arrivé encore? demande Jocelyne.

— Oh, j'ai trébuché sur un dix sous.

T'as bien dormi?

— Comme un ange. Et toi?

— Après le discours que m'ont fait mes parents, oui. Ca m'a pris quinze minutes avant de pouvoir placer un mot et expliquer pourquoi j'arrivais si tard, raconte John en essuyant ses lunettes.

La pluie fait tac! tac! tac! sur le toit de l'agence. La rue est presque déserte. La forme mince d'Agnès sous un immense parapluie se profile au tournant de la rue. Il est tout juste onze heures quand elle gravit les marches de l'agence.

— Ouf! Quel temps de chien! dit-elle.

Sur quoi, Notdog lui signale sa présence.

— Oh, pardon! Je te promets de ne plus jamais dire ça.

Agnès déploie son parapluie dans un coin pour le faire sécher. À l'adresse de ses amis:

— J'espère que la journée d'aujourd'hui ne sera pas aussi occupée que celle d'hier.

— Quand je pense que Jimmy Picasso utilisait ses talents pour dessiner de faux billets! C'est vraiment triste! s'exclame Jocelyne.

— Et que c'est lui en plus qui a créé toute la mise en scène de la maison hantée pour déloger Labrosse! Qui aurait cru ça de lui? Il était quand même gentil, continue John.

— Oui. Il faut croire qu'il y a des gens qui sont prêts à tout pour de l'argent. Il va maintenant faire les caricatures de ses compagnons de prison pendant un bon bout de temps, j'ai bien peur, conclut Agnès.

— Hi! hi! La tête de Joe Binne quand on lui a dit que Notdog lui mordrait l'autre mollusque s'il refusait de dénoncer son chef! Hi! hi! s'esclaffe John.

— Mollet, John, on dit mollet, pas mollusque, le reprend encore une fois Agnès.

— Faire peur au pauvre Labrosse avec des micros, des cordes pour tirer les chaises, c'est vraiment honteux, remarque Jocelyne.

— Le ressort dans la balustrade pour qu'elle batte plusieurs fois de suite, c'est une bonne idée, non? demande

John.

Les deux filles lui font un regard de reproche.

— O.K., disons que je n'ai rien dit.

Toc! toc! toc! On frappe à la porte. Agnès ouvre et laisse le passage au chef de police qui s'installe sur la chaise des visiteurs, un peu étroite pour son gros derrière. Il dit alors:

— Je savais bien que je vous trouverais ici. Eh bien, je viens vous faire mon rapport.

Les détectives attendent, silencieux, sérieux. Le chef, qui se trouve dans une drôle de position, explique.

— Jimmy Picasso est maintenant sous les verrous, avec Joe Binne. Le signalement de Charlie a été donné à toutes les polices de la région: on devrait le capturer dans les heures qui viennent.

— Et Bob les Oreilles Bigras? Qu'est-ce qu'il a à voir là-dedans? demande Jocelyne.

Le chef répond:

— Les Oreilles avait découvert la cachette. Il y allait quand il n'y avait personne et se servait dans les billets.

Qui a peur des fantômes ?

Pour lui, c'était une mine d'or. Lui aussi va passer un bout de temps derrière les barreaux.

— Moi je me demande pourquoi Jean Caisse aussi tenait tant à acheter cette vieille église, poursuit Agnès.

Le chef:

— Vous savez, votre histoire d'acheteurs qui visitent Labrosse me chicotait. J'ai appelé Jean Caisse, ce matin, et je lui ai posé quelques questions. Hier matin, il marchait derrière Labrosse quand il l'a entendu parler tout seul. Labrosse disait que son église était hantée. Caisse s'est dit que si c'était vrai, ça pourrait faire un site touristique qui rapporterait gros. C'est pour ça qu'il est allé lui faire une offre l'après-midi même. Le chef se lève:

— Voilà, c'est tout. Maintenant, Labrosse va retourner chez lui, sans être importuné par les fantômes. Bon, je m'en vais. Mais avant, pouvez-vous me donner la pile de billets que Notdog vous a apportée?

Jocelyne s'exécute et le chef repart. Les inséparables n'ont pas le temps de faire d'autres commentaires sur l'affaire que Steve La Patate surgit.

— Dites donc, les héros : dîner gratuit pour les grands détectives à midi! Je vous le sers ici?

Honorés, John, Agnès et Jocelyne commandent des frites, des hot-dogs et des Ginger Ale. Steve à peine reparti, on frappe de nouveau.

— Encore! s'exclame Agnès qui va ouvrir.

Mouillé comme un pauvre petit chat, Dédé Lapointe apparaît. Le plus sérieusement du monde, il s'installe sur la

chaise, faisant sous lui une grosse flaque d'eau. Il dépose sur le bureau un camion-citerne rouge et dit:

— J'ai un gros gros problème. Mes vieux jeans tout déchirés que je mettais tout le temps sont disparus. Pensez-vous que c'est ma mère ou bien la mafia qui a fait le coup?

Sylvie Desrosiers

FAUT-IL CROIRE À LA MAGIE?

Illustrations
de Daniel Sylvestre

la courte échelle

Chapitre I
Où vas-tu,
petit chaperon jaune?

Ce n'est pas vers sa grand-mère qu'il s'en va, car en vrai chien, Notdog ne reconnaîtrait même pas sa propre mère. Il est tard et il devrait déjà dormir. Mais le chien le plus laid du village ne rentrera pas coucher.

Il sait bien que Jocelyne, sa maîtresse, s'inquiétera et le cherchera partout, mais il n'y a plus de maîtresse qui tienne. Il n'y a plus de danger, il n'y a plus de prudence non plus. Il n'y a que ce parfum si doux dans l'air.

Suivre ce parfum, voilà la seule idée que Notdog a en tête. C'est une obligation,

Faut-il croire à la magie ?

une obsession. Il doit absolument trouver d'où vient cette odeur enchanteresse qui lui caresse le museau.

Il a toujours été fidèle, loyal et gourmand. Pourtant, il jeûnera des jours entiers s'il le faut. Il supportera les reproches et la peine de Jocelyne. Mais il ne retournera pas chez lui tant qu'il y aura dans l'air cette odeur mystérieuse, cet arôme qui lui chatouille les narines et qui ne peut venir que du paradis des chiens.

Pendant que Notdog pénètre dans la forêt, en suivant aveuglément son nez vers une destination inconnue, il n'entend pas Jocelyne qui l'appelle désespérément.

Et il ne voit pas non plus la lune qui brille tout près sur la voiture cachée dans les arbres.

Chapitre II
Trois mois plus tard...

Depuis cinq minutes, il ne s'est pas dit un mot à l'agence Notdog. Agnès, la petite rousse qui porte des broches*, et Jocelyne, la jolie brune aux cheveux bouclés, sont incapables de parler, tellement elles rient.

— C'est la première fois que je vois un blé d'Inde à lunettes! dit finalement Agnès en retrouvant son souffle.

— Un peu de beurre avec ça? lance Jocelyne qui se roule par terre.

— Je voudrais bien vous voir, moi, dans ma coutume! répond John, hautement irrité.

* Appareil orthodontique.

— Costume, John, on dit costume, pas coutume, le reprend Agnès en essuyant des larmes.

Il faut dire que John, l'Anglais blond aux lunettes rondes, a l'air complètement ridicule. Avec ses collants verts, ses manches vertes, les grandes feuilles en satin vert qui l'enveloppent et le corps et la tête enfermés dans un tissu matelassé jaune, il fait un très beau blé d'Inde. On lui a tout de même laissé un trou pour le visage, mais on lui a collé un peu de foin sur le dessus de la tête pour que la ressemblance soit parfaite.

En cette fin d'août, le village vit dans l'attente d'un événement très populaire, le Festival du blé d'Inde, qui commence ce soir. Et comme le père de John en est l'organisateur en chef, il a décidé d'y faire travailler son fils.

John a accepté avec enthousiasme d'être payé pour distribuer les programmes aux visiteurs. Sauf que son père avait omis de lui dire qu'il devait s'habiller en blé d'Inde.

— N'empêche, tu as l'air prêt à bouillir! lance Jocelyne qui commence à se calmer.

— Moi, je t'aurais aimé mieux deux couleurs, ricane Agnès.

— Je n'étais pas venu ici pour faire rire de moi. Je pensais trouver un peu de confort! se lamente John.

— De réconfort, tu veux dire. Mais oui, mais oui, on t'aime pareil, hein, Jocelyne?

— Oui, avec un peu de sel surtout.

Et les deux filles pouffent de rire. Dépité, John s'approche de Notdog, couché tranquillement dans son coin. Il le caresse:

— Toi, au moins, tu ne ris pas de moi. Comment ça va, mon gros?

C'est Jocelyne qui répond à la place du chien:

— Ça va fatigué. Et il est en punition.

— Pourquoi? demande John.

— Parce qu'il a encore fait une fugue.

— Une autre? Comme celle d'il y a trois mois?

— Non, l'autre fois il est parti quatre jours. Cette fois-ci, c'était juste une nuit. J'ai été obligée de ressortir sa laisse. Il déteste ça, mais il va falloir que je le garde attaché, dit Jocelyne, qui machinalement saisit la laisse de cuir et joue avec le fermoir.

John prend la tête de Notdog entre ses mains vertes:

— Où tu vas comme ça? Hum?

Pour toute réponse, Notdog donne un grand coup de langue dans ses lunettes, ce qui fait tomber John à la renverse. Avant qu'il se relève, la porte s'ouvre et va claquer contre le mur.

— Salut, les microbes!

Le motard local, nul autre que Bob Les Oreilles Bigras, fait son entrée. Il avance de deux pas, regarde par terre, s'arrête:

— Ça me fait rien, moi, mais il y a un blé d'Inde géant à terre, le savez-vous?

— On le sait, répond Agnès, qui se retient pour ne pas recommencer à rire.

Bob s'approche de John:

— Heille, l'épi! Aimerais-tu ça te faire éplucher?

Et Bob lance un gros rire gras.

— T'es pas drôle, Bigras! dit John en se relevant. D'abord, qu'est-ce que tu fais ici? T'es pas en prison?

— Arrive en ville, l'épi. On va pas en prison pour avoir volé des cigarettes en bonbon.

— Arrête de m'appeler l'épi!

— Les nerfs! C'est correct, j'vais t'appeler ti-grain, d'abord.

— Bigras, je t'avertis...

— Ou bedon, tiers de pâté chinois! Oua! Est bonne!

Bob Les Oreilles se tord. John veut sauter sur lui pour le mordre. Mais Jocelyne s'interpose:

— Qu'est-ce que tu veux, Bob?

— Je suis ici en tant que client.

Les trois inséparables, même John, le regardent, abasourdis. Bob Les Oreilles Bigras, un client? Ça ne se peut tout simplement pas. Bob déteste les inséparables. Car chaque fois qu'ils ont eu affaire à lui, les choses ont mal tourné. Pour Bob.

— J'irai quand même pas voir la police! Un motard a sa fierté!

— C'est quoi, ton problème? C'est grave? demande Agnès.

— Grave? Mets-en! Je me suis *faite* voler ma moto!

— Non! lance John qui se dit au fond que c'est bien bon pour lui.

— Oui! Y a quelqu'un qui m'a volé ma moto! Ma moto à moi! Y a donc du monde malhonnête!

— À ta place, je ne parlerais pas trop fort, Bob. Pour ce qui est de l'honnêteté..., on repassera, dit Jocelyne.

— On parle pas de moi. On parle de l'espèce de *=!'*% qui m'a volé ma moto. Pouvez-vous m'aider à la retrouver?

Bob explique alors que les clés de sa moto ont disparu. Mais il se souvient très bien de les avoir mises dans ses poches, car au fond il y avait une vieille gomme fondue qui lui a collé aux doigts. C'était une gomme balloune à saveur de cerise qu'il s'est d'ailleurs empressé de manger.

— Ouache! lance Jocelyne.

— Ben quoi! Une gomme, c'est encore meilleur quand elle a déjà été mâchée! Ça *l'a* un petit goût spécial.

— Oui, bon, revenons à tes clés. Tu as probablement eu affaire à un pickpocket, qui t'a volé ta moto après, déduit Agnès.

— Si c'était ça, je le retrouverais, l'enfant de nanane. Mais c'est ça, l'affaire: j'ai passé la soirée à faire des ballounes, assis sur un banc au parc municipal.

— Et? demande John.

— J'ai rencontré personne! Pas un chat! Puis, le plus sérieusement du monde, il ajoute:

— Je me suis *faite* voler mes clés par l'homme invisible!

Faut-il croire à la magie ?

Chapitre III

Il va pleuvoir, les fourchettes volent bas!

Dans la partie ouest du ciel, on peut voir une ligne de nuages noirs qui approchent. Sur le terrain de football où aura lieu le festival, chacun-chacune s'affaire à préparer son kiosque, en espérant qu'il ne pleuvra pas ce soir.

Mimi Demi, la propriétaire du Mimi Bar and Grill, installe les tables du bar. Jean Caisse, le gérant de la Caisse populaire, accroche tant bien que mal les banderoles où il est écrit que la caisse commandite l'événement. M. Bidou, le propriétaire de l'auberge Sous mon toit, remplit d'eau les immenses cuves qui serviront à faire cuire pas moins de cinq mille épis de blé d'Inde.

Mme Descartes, la tireuse de cartes, installe sa nappe à franges en faisant tinter ses bracelets. Et le maire Michel ne fait rien d'autre que s'énerver et énerver tout le monde en fumant comme une cheminée et en donnant entre deux quintes de toux, des ordres qui n'ont pas de bon sens.

Traînant ses pieds verts de blé d'Inde triste, John passe devant les kiosques de jeux de hasard. Il ne s'intéresse pas du tout au lancer du dix sous dans une assiette, ni à la roue de fortune, ni aux ballons qu'il faut crever pour gagner un toutou en peluche jaune orange. Il regarde par terre pour éviter de se voir dans les miroirs des kiosques.

— Psst! John! Viens ici une minute!

Le petit Dédé Lapointe lui fait un signe de la main. Puis il se cache derrière le comptoir de mousse rose.

— Qu'est-ce que tu fais là, Dédé? Tu es poursuivi par des montres?

— Des montres? Non, ça n'est pas arrivé encore, répond Dédé tout en réfléchissant à cette possibilité.

Bien sûr, John voulait dire des monstres. Mais comme Dédé est paranoïaque, il ne serait pas surpris d'être attaqué un jour par des montres géantes aux aiguilles menaçantes. Il attire John vers lui et lui parle à l'oreille:

— Tu vois là-bas?

— Oui, c'est le kiosque des scouts.

— Le grand, là, avec les shorts et les genoux croches...

— Oui...

— Je pense que c'est un extra-terrestre qui est venu pour m'enlever!

John réprime un fou rire:

— Ah oui? Et pourquoi?

— Regarde sa face: il est vert!

— Il est peut-être juste malade...

— Tu penses?

— Je ne sais pas. Surveille-le. Et si tu trouves sa soucoupe volante, viens me le dire, suggère John.

— O.K.

Le petit Dédé Lapointe met une paire de lunettes mauves, pensant que, comme ça, personne ne le reconnaîtra. Et il se dirige déjà vers les scouts, en faisant semblant de rien.

John fait quelques pas en direction du bureau de l'administration où son père l'attend pour lui donner ses instructions. Mais il s'arrête devant quelque chose de curieux.

Entre une roulotte et une voiture jaune qui a une portière bleue, il voit un garçon de dos. Il est à peu près de la taille de John et il est coiffé d'un turban orné de pièces d'argent. Le garçon pointe quelque chose du doigt en restant tout à fait immobile. Intrigué, John s'approche.

Le garçon ne bronche pas. Il porte une longue chemise indienne, et des cheveux noirs attachés en queue de cheval dépassent de son turban. John suit du regard le bras pointé vers l'avant. Et il aperçoit un objet brillant qui semble en suspension dans les airs. John approche encore, plisse les yeux pour mieux voir.

— Heille! C'est une fourchette! lance-t-il.

Le garçon se retourne vivement et on entend un bruit de métal qui tombe sur le gravier.

— Wôw! Ça tenait dans les airs! Comment tu fais ça? demande John tout excité.

— Je ne sais pas, répond le garçon.

— Comment ça, tu ne sais pas!?

— C'est comme ça. Je me concentre et la fourchette reste suspendue. Dis-moi, tu t'habilles souvent comme ça?

John fronce les sourcils.

— Imagine que c'est l'Halloween, O.K.? Mon nom est John.

John lui tend la main. Le garçon tend la sienne:

— Moi, c'est Rajiv, dit-il en souriant, montrant ainsi une rangée de dents parfaites.

— Tu es un hindou? demande John.

— Un Indien, John, les habitants de l'Inde sont des Indiens.

«Ah non! Pas un autre qui va me reprendre!» pense John.

Mais Rajiv interrompt les pensées de John:

— Et toi, qu'est-ce que tu fais quand tu n'es pas un blé d'Inde?

— Moi, je suis détective privé.

Devant l'air ahuri de Rajiv, John explique l'affaire de la moto volée de Bob Les Oreilles. Il lui décrit l'agence, lui parle de Jocelyne et Agnès. Et de la théorie de Bob sur l'homme invisible.

Très intéressé, Rajiv écoute et pose des

questions. Et il finit par offrir son aide à John pour résoudre cette affaire.

— Euh... il faudrait en parler aux filles d'abord... je ne sais pas... hésite John.

— Dis oui. Écoute, je m'ennuie. Ce n'est pas drôle de passer sa vie à faire voler des ustensiles!

John ne répond pas immédiatement. Il regarde Rajiv, se dit qu'il ne le connaît que depuis quelques minutes et que c'est peut-être un peu tôt pour l'intégrer à sa *gang*. Mais quelque chose l'attire vers ce garçon.

— D'accord. On va voir Agnès et Jocelyne.

Mme Descartes, qui passe près d'eux avec son jeu de tarots, les entend parler.

— Bon, bon, bon, encore des histoires de filles! Venez ici, vous deux. Tiens, toi, pige trois cartes.

Elle tend le paquet à John, qui s'exécute. Elle les regarde:

— Je vois beaucoup de gêne et de tristesse.

— Bien, m'avez-vous vu? Pas besoin de lire dans les cartes pour savoir que ce n'est pas le fun d'être un blé d'Inde!

Elle tend le paquet à Rajiv. Il pige trois

cartes, puis les redonne à Mme Descartes. Elle les regarde, et aussitôt une inquiétude paraît sur son visage. Elle regarde fixement Rajiv:

— La roue de fortune dit que rien n'est fixe. Qu'après la pluie vient le beau temps. Mais il y aura un choix à faire. Souviens-toi que tu es le maître de ta destinée, mon garçon.

Elle remet les cartes dans le jeu. Et on entend une voix d'homme qui crie très fort:

— Rajiv! Arrive ici!

— Mon oncle. À tout à l'heure!

Et Rajiv se sauve en courant, alors que la pluie commence à tomber. Mais John est bien protégé par son costume.

Chapitre IV
Loto-auto

Surprises par la pluie, Agnès et Jocelyne sont entrées en vitesse chez Steve La Patate. Avec à leur suite, et de super mauvaise humeur, Notdog.

— Allez, viens, ce n'est pas de ma faute à moi si tu es pris pour être en laisse! dit Jocelyne en le tirant vers elle.

— Steve va encore se plaindre que ça sent le chien mouillé, dit Agnès en s'assoyant sur une chaise en métal et en *cuirette*.

— C'est moins pire que la vieille graisse de patates frites, je trouve, répond Jocelyne.

Elle s'assoit à son tour et attache la laisse à un pied de sa chaise:

119

— Couche, Notdog.

Le chien la regarde, sans bouger.

— Couche pas, d'abord.

Jocelyne se détourne et Notdog, planté là, se dit qu'il sera mieux couché, c'est vrai. Il pile sur son orgueil et s'affale par terre en soupirant.

D'habitude très empressé, Steve ne les a même pas vues.

Il est au téléphone et gesticule, fouettant l'air avec une spatule à boulettes de steak haché.

— Écoutez, Chef, je me souviens d'avoir déposé mes clés sur le comptoir... Comment ça, ce n'est pas prudent?! Il n'est venu personne!... Le fait est que mon auto a disparu! Ça fait trois fois que je vous le dis!... Comment ça, c'est une bonne chose!? Elle était peut-être vieille, mais elle roulait mieux qu'une neuve, vous saurez!... Oui... J'attends de vos nouvelles... C'est ça.

Steve raccroche. Il voit les filles et s'approche en bougonnant.

— Je vais lui en faire, moi, un cancer... Ça sent bien le chien mouillé, donc...

Il ne voit pas Notdog par terre et s'enfarge dedans:

— Depuis quand ta maîtresse t'attache, toi?

— Depuis qu'il se sauve. Mais où il va, je ne sais pas. Et toi, ça ne va pas, Steve? demande Jocelyne.

— Ma Mustang 1979..., on a osé me voler ma Mustang! Si j'attrape le voleur, il va passer un mauvais quart d'heure! Vous voulez la même chose?

Les filles répondent oui et Steve s'en retourne promptement préparer trois hot-dogs: un avec moutarde et chou, l'autre avec oignons et ketchup et le dernier tout nu parce que Notdog n'aime pas les condiments.

— Tu as entendu? Lui aussi dit qu'il n'a vu personne, observe Agnès.

— L'homme invisible frappe encore, on dirait, remarque Jocelyne.

— Avant que je croie à l'homme invisible, il va mouiller des petites cuillères!

C'est alors que, juste à la hauteur de ses yeux, une petite cuillère passe lentement, reste suspendue quelques secondes et tombe finalement sur la table. Jocelyne et Agnès restent bouche bée. Et deux éclats de rire leur parviennent de l'autre côté de la fenêtre panoramique.

Agnès est la première à revenir de sa surprise:

— John! Je le savais que ça ne se pouvait pas.

Et elle se met à la recherche d'un fil quelconque. John entre, en compagnie de Rajiv.

Ils rejoignent les filles et John fait les présentations. Il explique que le tour de la cuillère, c'est grâce au pouvoir de Rajiv.

— Ça s'appelle de la télékinésie, dit Agnès avec hauteur. C'est un mouvement d'objet sans contact. Un phénomène paranormal pour lequel il n'y a pas de preuves scientifiques. Une supercherie.

John proteste:

— Jamais de la vie! Je l'ai vu! Il n'y a pas de truffe!

— De truc, John, on dit truc, pas truffe, le reprend Agnès.

Puis elle ajoute:

— Moi, je suis certaine que oui.

— Ça t'amuse? demande Jocelyne à Rajiv en voyant son petit sourire.

— J'aime bien les sceptiques, répond-il, ce qui pique John.

Notdog aboie pour signaler sa présence. Jocelyne le présente à Rajiv, alors que la porte s'ouvre. Entrent en même temps de la pluie et Maurice Teurbine, le mécanicien du garage Joe Auto, MoTeur, pour les intimes. Il passe en coup de vent à côté des enfants:

— Tu ne me croiras pas, Steve: je me suis fait voler mon pick-up!

— Toi aussi!

— Ne me dis pas qu'ils t'ont volé ta minoune!

— Hé, ho, ma Mustang, c'est loin d'être une minoune, rouspète Steve.

Mais MoTeur n'a pas envie de parler de

la Mustang de Steve, et il raconte sa propre histoire. Dépôt des clés sur le crochet de son bureau, comme d'habitude; travail toute la matinée sur une familiale neuve, un vrai citron, mais enfin; dîner chez Mimi Demi.

— Tu vas chez une compétitrice! s'offusque Steve.

Et la chicane prend jusqu'à ce que Mo-Teur revienne au vol et dise qu'il n'a vu personne autour de son garage.

— Tu vois, encore un vol sans voleurs, s'exclame Jocelyne.

— Il doit y avoir une explication logique, marmonne Agnès.

— À moins que quelqu'un au village ne possède aussi un pouvoir de télévision, suggère John.

— Télékinésie, John, je te l'ai dit tantôt, le reprend Agnès. Mais voilà: ils n'ont jamais entendu parler d'un don de ce genre. Il y a bien Mme Venne qui arrête le sang. Ou Mme Bordeleau qui n'a pas son pareil pour trouver une source d'eau cachée. Ou encore M. Mercure qui peut prédire la température à cause de l'oignon sur son pied droit. Mais personne ne déplace des objets à distance.

— Qu'est-ce qu'on fait, alors? demande Jocelyne.

— Dans mon pays, on dit: «L'eau a la réponse à tout.» Cherchons près de l'eau. Il y a un lac près d'ici, non? propose Rajiv.

Agnès hausse les épaules:

— Des niaiseries. Qu'est-ce que tu veux qu'on trouve près de l'eau: le gros lot?

— Tu as une meilleure suggestion? demande Jocelyne, surprise de l'animosité d'Agnès envers Rajiv.

Agnès hoche la tête pour dire non.

— Quand vous aurez fini de manger, on ira au lac, juste pour voir, décide John.

Jocelyne se lève pour aller chercher le ketchup. La porte s'ouvre de nouveau, pour faire entrer Mme Descartes. Ce qui n'a rien d'extraordinaire, car les tireuses de cartes mangent des hot-dogs aussi. Sauf que Notdog bondit vers elle, entraînant la chaise où il est attaché.

— Notdog! Viens ici!

Mais Notdog n'écoute pas sa maîtresse. Il renifle la jupe de Mme Descartes, comme si elle l'avait lavée dans la sauce barbecue.

Faut-il croire à la magie ?

— N'ayez pas peur, il n'est pas méchant, dit Jocelyne en venant cueillir Notdog, fâchée.

— Oh, je n'ai pas peur. Qu'est-ce que tu me veux, toi?

Notdog ne peut pas répondre. Et Jocelyne n'a pas le temps de poser de questions, car la porte s'ouvre encore.

— Il y a donc bien du monde à midi! se plaint Steve en voyant entrer M. Vivieux, l'agent d'assurances d'origine française.

— Monsieur MoTeur! On a retrouvé votre voiture!

Maurice Teurbine pâlit:

— Quoi!?

— Oui, mais elle est dans un bien mauvais état, j'en ai peur. On l'a retrouvée dans le lac.

John, Agnès et Jocelyne posent un regard interrogateur sur Rajiv. Mais celui-ci regarde ses ongles.

Chapitre V
Le combat des chefs

Sur le trottoir, en face de chez Steve et juste à côté de l'agence, les inséparables s'obstinent.

— Écoutez, c'est sûr qu'il sait quelque chose! affirme Agnès.

— Mais tantôt, il a dit que non, proteste Jocelyne.

John l'appuie:

— C'est vrai, il a juré que c'était un lézard!

— Hasard, John, pas lézard, hasard. Mais je ne crois pas à ce genre de coïncidence, moi, répond Agnès.

— Tu ne crois quand même pas qu'un garçon de douze ans ferait cette série de vols! s'enflamme Jocelyne.

— Chut! souffle Agnès en voyant Rajiv qui sort du restaurant après être allé faire pipi.

— C'est votre agence? demande le garçon.

Les inséparables répondent évidemment oui et la troupe s'y dirige. Ils entrent et Rajiv fait le tour du local, les yeux écarquillés d'envie. Il se dit qu'il aimerait mieux être un détective qu'une attraction de festival. «Un jour peut-être, plus tard», rêve-t-il. Mais pour le moment:

— Puisque le lac cachait une auto, il en cache peut-être plusieurs. On devrait aller voir.

— Moi, je pense qu'il faut d'abord aller au parc où Bob Les Oreilles s'est fait voler sa moto. Et chercher des indices, dit Agnès.

— Mais puisqu'il n'a vu personne, objecte Rajiv.

— Et après? Il faut commencer quelque part, et l'endroit logique, c'est le parc, continue Agnès, agressive.

— Je pense tout de même qu'il y a plus de chances de trouver des indices au lac, insiste Rajiv.

— Si tu te penses meilleur détective que nous... lance Agnès avec hauteur.

John n'aime pas le ton qui monte. Il sent la nécessité de s'interposer et le devoir d'appuyer son nouvel ami:

— Moi, je vote pour le lac. Toi?

Il s'est tourné vers Jocelyne. Elle hésite. Le parc est logique, mais le lac est tentant. Et puis Rajiv a déjà eu raison une fois, même s'il dit que c'est accidentel.

— Je pousserais une petite pointe jusqu'au lac... après, on ira au parc, ajoute-t-elle rapidement pour ne pas froisser son amie.

— Bon, bon. Allez-y, au lac. Moi, je vais au parc. On se retrouve dans deux heures.

Et Agnès, sans s'occuper des protestations des autres, tourne les talons et sort. Quand elle ouvre la porte, on peut voir dehors Mme Descartes faire démarrer son auto rouillée. Sans perdre une seconde, Notdog profite de l'ouverture et du fait que Jocelyne ne s'occupe pas de lui pour filer à toute allure.

— Notdog! Viens ici! crie-t-elle.

Mais déjà il tourne le coin de la rue principale, à la suite de la tireuse de cartes.

***

«Elle va donc vite, la bonne femme Descartes! Elle va me tuer!» pense Notdog en essayant de suivre la voiture. En fait, c'est un nuage de poussière qu'il suit, car la conductrice a vite emprunté un chemin de terre.

Ayoye! Des cailloux projetés par le mouvement des roues frappent Notdog en plein sur la tête. Mais il ne ralentit pas sa course. De chaque côté de la route, de grandes herbes flottent au vent. Et derrière, deux yeux jaunes de renard regardent passer Notdog.

«Ils sont vraiment nonos, les chiens: toujours en train de courir après les autos!» pense-t-il.

Notdog court toujours à toutes pattes et sa langue pend du côté gauche. Elle est tellement longue qu'on a peur qu'il s'enfarge dedans. Mme Descartes entre dans un petit chemin cahoteux et bordé d'un muret de pierres. «Une route où à peu près personne ne passe», observe le chien le plus laid du village. Une route où lui-même n'a jamais mis la patte.

La route monte et les poumons de Notdog commencent à lui faire mal. Il peut trotter, se promener pendant des heures, mais il ne peut pas courir à sa vitesse de pointe pendant plus de quelques minutes.

Le nuage de poussière s'estompe et les lumières rouges indiquant qu'on appuie sur les freins de la voiture s'allument. Une maison en pièces de bois apparaît, complètement isolée. Ça sent les fleurs. Au loin, on peut voir les sommets des plus hautes montagnes de la région.

Et soudain, Notdog entend enfin ce qu'il espérait tant de tout son coeur de chien.

Chapitre VI
La clé des champs

Le lac Obomsawin a le calme des jour-nées sans vent. À l'extrémité ouest, un blé d'Inde géant et un garçon à turban cher-chent parmi les quenouilles.

— Il y a un monstre dans le lac, Obobo qu'il s'appelle, dit John en écartant les herbes.

— C'est bien, répond Rajiv, sur le même ton qu'il aurait eu si John lui avait parlé d'une roche; il n'est pas du tout in-téressé, car il est absorbé dans ses re-cherches.

À quelques mètres d'eux, une dépan-neuse est en train de tirer de l'eau le pick-up de Maurice Teurbine. Par les vitres baissées, on voit s'écouler l'eau. Elle transporte avec elle quelques crapets-soleils, un ouaouaron et des dés en *minou* qui se sont détachés du miroir du camion.

— On ne trouvera sûrement rien, la police est passée avant nous, se désole John.

Mais Rajiv n'est pas de cet avis:

— Elle ne connaît pas grand-chose, la police.

Et il continue d'avancer, à quatre pattes pour mieux ratisser les lieux. John ne comprend pas pourquoi Rajiv a une opinion aussi tranchée et il se remet à la tâche. Après quelques minutes de silence, un peu découragé, John s'arrête:

— Le voleur doit avoir bien effacé les traces de son message.

— Pourquoi aurait-il laissé un message? demande Rajiv.

— Non, ce n'est pas ce que je veux dire. Des traces qui montrent qu'il est venu.

— Ah, de son passage.

Un peu tanné, John lance:

— Comment ça se fait que tu ne fais jamais d'erreur en français? Ce n'est pas ta langue.

— J'ai un don pour les langues. Écoute, on n'est pas ici pour parler de grammaire. Il doit y avoir des traces; il y en a toujours, mais ce n'est pas tout le monde qui les voit.

— Encore une pensée de ton pays?

— Non, de moi.

Rajiv soulève une pierre et tâtonne sous un vieux quai de bois défoncé. La dépanneuse a fini son travail et disparaît avec le camion juché en l'air. John déchire un coin de son costume sur des ronces:

— Ah non! Juste sur la fesse!

Il fait une vraie contorsion pour réussir à voir le lambeau de tissu. En essayant de se décrocher de l'épine, il se pique un doigt. Une goutte de sang perle.

— Ayoye!

Il approche vite son doigt de ses lèvres, et c'est au moment où il se met à sucer le

sang qui coule qu'il voit le bout de tissu dans les ronces.

— Je me demande si on peut le *coudrer*.

Il a dit cela si bas que Rajiv ne peut pas le corriger et lui dire «coudre, John, pas *coudrer*». Il étire le bras pour prendre le tissu et il s'aperçoit qu'il n'est pas jaune, comme son costume, mais blanc. Blanc sale.

— Rajiv, viens voir!

Rajiv accourt. Il prend le tissu.

— Voilà une trace...

Le linge est très sale. C'est plutôt une guenille qu'autre chose. Rajiv la retourne plusieurs fois, cherchant d'où elle pourrait bien venir. Il la sent.

— Attention, tu vas attraper des maladies! l'avertit John.

— Ça sent l'huile, dit Rajiv.

La curiosité l'emporte sur les risques de contamination et John lui prend le tissu des mains. Il l'approche de son nez:

— Ça sent l'essence.

Il touche les taches:

— C'est de la graisse, de la graisse de voiture.

— Quelqu'un s'est essuyé les mains

avec ce linge après avoir joué dans un moteur, continue Rajiv.

Son regard s'illumine:

— Le mécanicien! Ça ne peut être un autre que lui! Regarde, c'est une guenille de garage!

— Tu sautes vite aux conclusions, je trouve. Ce n'est...

Mais Rajiv ne le laisse pas finir. Il est tout excité de leur découverte:

— Je suis certain que c'est lui! Il faut le dire à la police!

— Mais pourquoi MoTeur se serait débarrassé de son camion à lui? demande John.

— Peut-être pour détourner les soupçons? Viens.

***

De son côté, Agnès cherche au parc. Elle aussi se dit qu'on trouve toujours un indice. Un indice qui ne donne pas nécessairement la réponse, mais qui aide à réfléchir.

«Même l'homme invisible doit laisser des traces!» pense-t-elle. Elle a presque honte de cette pensée, puisqu'elle ne croit pas à ce genre d'histoire. Mais elle est là depuis une heure et ne trouve rien. Elle soupire.

«Les autres avaient peut-être raison, et c'est au lac qu'ils découvriront quelque chose», se dit-elle. Mais elle chasse bien vite cette idée, car elle ne veut pas que Rajiv ait raison.

Elle tourne pour la centième fois autour du banc où était assis Bob Les Oreilles Bigras.

Elle a bien trouvé un mégot de cigarette roulée à la main; des rognures d'ongles que quelqu'un s'est arrachées avec les dents; une mini-bande dessinée qu'on trouve dans les emballages de gomme balloune; un coeur de pomme; une cuillère de plastique avec des traces de yogourt aux fraises. C'est malpropre, mais pas suspect.

Agnès agrandit le cercle autour du banc, scrutant le sol. Un peu de gravier, un vieux sac de chips tout tordu. Une fois sur le bord de l'allée où l'herbe commence, il n'y a qu'un peu de caca de chien, trois sous noirs et un vingt-cinq sous.

Elle ramasse le vingt-cinq sous et le met machinalement dans sa poche. Dommage. Car si elle l'avait regardé de plus près, elle aurait vu que ce n'était pas vraiment un vingt-cinq sous. Et que l'indice qu'elle cherchait, elle l'avait maintenant sur elle.

***

Notdog n'en revient tout simplement pas. Gonflé d'orgueil, il revient en trottinant. Mais au lieu de repasser par la route où il y a vraiment trop de risques de se faire frapper, il prend par les bois.

Il renifle tout sur son passage et sa bonne humeur lui fait apprécier les odeurs les plus insignifiantes.

Un écureuil passe devant lui, mais il décide de ne pas entreprendre la poursuite habituelle. Au fond de lui-même, il sait que Jocelyne l'attend et qu'il a été parti bien longtemps.

«J'espère qu'elle ne va pas encore m'attacher», pense-t-il. Car maintenant qu'il a trouvé ce qu'il cherchait, il a bien l'intention d'amener sa maîtresse voir sa découverte.

Il se retrouve bientôt sur un chemin qu'il se souvient vaguement d'avoir emprunté; c'était trois mois plus tôt. Son grand nez se rappelle les odeurs qui sont restées imprimées dans sa mémoire. Il refait le chemin en sens inverse. Rien n'a changé. Sauf les feuilles qui ont poussé et les branches mortes qui sont tombées.

Mais comme cette fois-ci il ne suit pas aveuglément un parfum pour chiens, il voit la voiture cachée dans les arbres. Elle est toujours là, un peu plus cachée par la végétation qui l'a envahie.

Il s'approche. Par terre, à côté de la portière, une patte de lapin traîne, à moitié enfouie dans le sol.

«Jocelyne sera peut-être moins fâchée si je lui rapporte un cadeau», pense-t-il.

***

Jocelyne le voit venir de loin. Elle se lève, descend les trois marches de l'agence et l'attend, les poings sur les hanches:

— Ça fait tellement longtemps que vous êtes partis que j'ai eu peur qu'il commence à neiger!

— Tu exagères un peu, là, et puis on a fait des couvertes, annonce John.

— Tu veux dire des découvertes, je suppose?

Résigné à être toujours corrigé, John répond oui. Puis il lui raconte l'expédition, la guenille trouvée, la visite au poste de police où le Chef les a félicités. Il lui explique que Rajiv a dû retourner en vitesse au festival pour une répétition. Ses oncles le cherchaient sûrement. Même que Rajiv paraissait très nerveux en parlant d'eux.

— Je ne les ai pas vus. J'en ai entendu un appeler Rajiv, c'est tout. Et ton chien?

Jocelyne ne sait pas si elle doit adopter une figure triste ou fâchée. De fait, elle est les deux à la fois.

— Il n'est pas encore revenu. Je vais être obligée de le garder enfermé à la maison.

— Il revient toujours, dit John.

— Oui, mais les autos roulent vite et j'ai peur.

Au coin de la rue, Agnès apparaît. Elle avance lentement, faisant attention de ne pas marcher sur les fissures du trottoir. Elle joue avec les quelques pièces de monnaie qu'il y a dans ses poches, mais elle ne les sort jamais de là. Elle arrive enfin près de l'agence.

En voyant l'air sombre d'Agnès, Jocelyne et John comprennent qu'elle n'a rien trouvé. Alors, avec d'infinies précautions,

John raconte de nouveau la découverte qu'ils ont faite au lac.

— C'est vous qui aviez raison, dit Agnès, déçue, mais contente que quelqu'un ait trouvé quelque chose.

C'est alors qu'ils entendent quelqu'un qui rote à pleine gorge. Ils se retournent.

— Bob Les Oreilles Bigras, évidemment, constate Jocelyne.

Il s'approche d'eux, rote encore un peu:

— Hé que ça passe dur la bière d'épinette! Pis? Il paraît qu'ils savent qui est le voleur?

— Comment tu le sais? demande Jocelyne.

— Les nouvelles courent vite, les microbes. J'ai toujours trouvé qu'il avait une face de rat aussi, le MoTeur.

— Il n'y a rien qui prouve que c'est lui, proteste John.

— Qui c'est d'autre qui se promène avec des guenilles pleines de graisse de char? Y a donc du monde malpropre! s'indigne Bob.

Pour toute réponse, les inséparables se contentent de regarder Bob de haut en bas.

Ses mains sont tellement sales qu'il a l'air de porter des mitaines; ses jeans sont tellement crottés que même les vidangeurs n'en voudraient pas; et ses dents sont tellement douteuses qu'il a l'air d'avoir une barre de *toffee* accrochée aux gencives.

— En tout cas. Y sont en train de le questionner. Je suppose que je vais retrouver ma moto ce sera pas long. C'est le petit gars avec le chapeau en linge à vaisselle qui a tout découvert.

John s'empresse de rétablir les faits:

— Il était avec moi, et J'AI trouvé la guenille.

— Choque-toi pas, le blé d'Inde, sans ça, tu vas tourner en crème.

Et Bob Les Oreilles se met à rire de sa blague.

Il tourne les talons et s'éloigne en jetant un papier de gomme.

C'est alors que Notdog se montre le bout du museau.

— Notdog! Viens ici! Méchant chien!

Les oreilles basses, il avance, priant le dieu des chiens que son cadeau fasse effet.

— Regarde, il a quelque chose dans la gueule, observe Agnès.

Jocelyne se penche lorsqu'il arrive près d'elle et l'empoigne par le collier pour l'attacher:

— Une cochonnerie, encore... Si tu penses que tu vas m'amadouer avec... qu'est-ce que c'est ça?...

Jocelyne lui enlève la patte de lapin de la gueule. À la patte pend une chaînette qui se referme sur un trousseau de clés.

— Regarde la grosse, avec du plastique noir, dit John.

— Pourquoi?

— C'est une clé d'auto.

Chapitre VII

A beau mentir celui qui vient d'où, exactement?

Cette fois-ci, pas de chicane. Tout le monde est d'accord pour suivre Notdog jusqu'à l'endroit où il a trouvé le trousseau de clés.

— J'espère qu'il ne nous laissera pas tomber au milieu du chemin, soupire Jocelyne en le détachant.

Notdog refuse catégoriquement de bouger tant qu'il a la laisse au cou. Un chien a sa fierté, quand même. Et qui a déjà vu un grand détective au bout d'une lanière de cuir niaiseuse?

Les inséparables se lancent à l'aventure.

Ils marchent derrière Notdog qui commence à connaître le chemin par coeur. Au-dessus de leurs têtes, les nuages sont toujours là. Mais ils grossissent, changent de couleur, passent maintenant du gris pâle au gris souris.

John peste contre son costume. Les grandes feuilles en tissu s'accrochent aux arbres et le foin lui retombe toujours dans les yeux.

Agnès se demande quand l'orage va leur tomber dessus.

Et Jocelyne ne quitte pas son chien des yeux une seconde, tenant sa laisse, au cas où.

— Ça sent bien mauvais, donc, dit Agnès.

— Oui, ça sent comme les toilettes au parc, dit John.

— Je ne sens rien du tout, moi, dit Jocelyne.

Ils continuent d'avancer.

— Ouache! C'est sa laisse qui pue! s'exclame Agnès.

John s'approche, se bouche le nez:

— Yark!

— Bien quoi... ça lui arrive de faire pipi dessus des fois, mais ce n'est pas grave,

Faut-il croire à la magie ?

juste un pipi... explique Jocelyne.

— C'est pour ça que tu ne le sens pas, tu es habituée, conclut Agnès, qui sait maintenant ce qu'elle offrira à Jocelyne pour sa fête.

Et ils continuent d'avancer, en silence.

Notdog les entraîne loin. Là où il n'y a plus de maisons, là où les champs de blé finissent, là où personne ne passe, même pas au temps de la chasse.

Les inséparables, qui pourtant ont exploré toute la campagne, n'ont jamais mis les pieds ici non plus.

Il y a des marais boueux, des arbres morts et secs qu'on entend craquer au moindre petit vent.

Il y a aussi un semblant de sentier, abandonné depuis longtemps, depuis qu'un feu de forêt a tout ravagé. Et c'est ce sentier qu'ils empruntent, suivant toujours Notdog qui, lui, est de très bonne humeur. Il adore mener.

Ils traversent ce coin sinistre et entrent bientôt dans une forêt bien verte, là où le feu s'est arrêté.

Les arbres sont hauts et les branches les plus basses leur arrivent au-dessus de la tête.

Leurs pieds brisent les aiguilles de pin qui jonchent le sol et qui dégagent alors leur parfum.

C'est entre deux épinettes géantes qu'ils voient briller un coin de pare-brise, dans un bouquet d'arbustes.

Et qu'ils voient un homme sortir de la carcasse de l'auto.

Les inséparables se cachent aussitôt. Ne les voyant plus derrière lui, Notdog rebrousse chemin pour les retrouver. Quand il arrive à leur hauteur, Jocelyne l'attrape par le collier et le serre contre elle pour qu'il se tienne tranquille.

L'homme tourne autour de l'auto, cherche quelque chose.

— C'est qui? murmure Agnès.

— Jamais vu, répond Jocelyne.

— Moi non plus, ajoute John.

L'homme semble hésiter.

— Cela n'a peut-être rien à voir avec notre affaire, chuchote encore Agnès.

— Peut-être, mais c'est étrange quand même, dit Jocelyne.

— Il faut le prendre en confiture! décide John.

— En filature, John, pas en confiture, le reprend Agnès tout bas.

L'homme s'en va. Jocelyne attache Notdog, le garde près d'elle. Sans dire un mot, les inséparables sortent de leur cachette et suivent l'homme sans bruit.

Ils sortent de la forêt par le côté opposé à celui où ils sont entrés. Une voiture jaune à la portière bleue est stationnée sur le bord de la route de terre. L'homme y monte, démarre et disparaît.

— La filature n'aura pas été trop trop longue, dit Jocelyne, déçue.

— On ne le retrouvera jamais, soupire Agnès.

— J'ai déjà vu cette auto-là... Mais oui! Venez!

Sans donner d'explications, John les entraîne à la course vers le village.

***

Au Festival du blé d'Inde, l'orchestre chargé de l'animation musicale est en train de répéter. Les Oignons Roses, appelés ainsi parce qu'ils font pleurer avec leurs chansons douces, faussent en masse. Mais comme le chanteur est le neveu du maire, on les engage tout de même. Et puis, on les aime bien, car ils sont du village.

Les inséparables passent devant eux,

mais ne s'arrêtent pas pour apprécier la cacophonie. Ils filent devant les kiosques de jeux, ne répondent même pas au salut de la mascotte, Grain de Beauté, et se faufilent entre les camions de transport. John s'arrête brusquement et se dissimule derrière des sacs remplis d'épis.

— Elle est là.

La voiture jaune à la portière bleue. Stationnée juste à côté de la roulotte de Rajiv.

— Alors, qu'est-ce qu'on fait? demande Jocelyne.

Ils entendent soudain des gens qui parlent très fort.

«Tu as une balloune à la place de la tête!» «Espèce de crétin!» «Celui qui le dit, c'est lui qui l'est!» «Arrêtez donc!» «Mon oeil!» «Je vais m'arrêter quand je voudrai...»

— Ça se chicane rare là-dedans! dit Jocelyne.

— Et j'ai l'impression que le sujet pourrait nous intéresser. On approche? suggère Agnès.

Il fait chaud et lourd. Les fenêtres de la roulotte sont ouvertes. Les inséparables avancent prudemment, se postent au-dessous de la plus grande fenêtre. Ils ne voient pas ce qui se passe, ni qui parle. Mais ils entendent drôlement bien. D'autant plus que les Oignons Roses font une pause.

— Ça faisait trois mois qu'elles étaient là; tu ne pensais toujours pas que je les trouverais! dit une voix.

— Ça veut dire que quelqu'un est allé de ce côté-là, répond l'autre.

— Mais non, mais non. Moi je dis que c'est un animal qui est parti avec, continue la première voix.

— Un animal! Qu'est-ce que tu veux qu'un animal fasse avec des clés? Barrer la route à un autre? objecte la deuxième voix.

— De toute façon, tu as des doubles, alors..., reprend la voix numéro un.

— Je m'en fous, des clés! C'est la patte de lapin que je voulais récupérer! Un vieux souvenir de *popa*... chiale la voix numéro deux.

— Heille! Décroche! Tu avais juste à y aller il y a trois mois, s'impatiente la voix numéro un.

— Tu sais très bien qu'on n'avait pas intérêt à être vus dans le bout. Bon. Quelle heure il est avec ça?... Quatre heures! Rajiv! Tu as juste le temps d'aller me chercher les clés de la grosse tireuse de cartes, ordonne la voix numéro deux.

— Le temps qu'elle s'aperçoive du vol, son auto va déjà être en morceaux, ricane la voix numéro un.

Mais ce n'est pas la deuxième voix qui enchaîne cette fois-ci. C'est une voix jeune, désespérée.

— Non! Je n'irai pas! C'est fini, je vous dis, fi-ni. Fini! crie Rajiv.

Un des deux hommes éclate d'un grand rire:

— Ah oui? Et on peut savoir ce que tu veux faire à la place?

— Euh... Je ne sais pas. Devenir détective?

L'autre homme s'étouffe raide:

— Détective? Toi? Le plus grand voleur de clés du monde! Tut tut tut, arrête de dire des choses comme ça, tu vas me faire faire une attaque.

L'autre continue, mielleux:

— À part ça, tu n'as pas l'âge, mon petit gars. Tu es mineur. Puis c'est moi qui te garde, mets ça dans ton turban, hein?

Rajiv éclate de plus belle:

— J'ai assez volé pour vous autres! Je

veux avoir une vie honnête! Je veux utiliser mon pouvoir pour amuser les gens, pas pour les voler! J'ai mis mes amis sur la piste du mécanicien: il ne faut pas m'en demander plus!

«Ouin, beding, bam, chou bidou, bidou ah»: les Oignons Roses recommencent leur répétition dans un vacarme épouvantable. Les inséparables n'entendent plus rien qui vienne de l'intérieur de la roulotte.

Jocelyne trépigne:

— Il faut l'aider!

— Pauvre Rajiv! Il est expliqué! s'enflamme John.

— Exploité, John, pas expliqué, exploité. Avez-vous remarqué? Il nous a appelés ses «amis»... dit Agnès en baissant les yeux, se rappelant qu'elle n'a pas été fine avec lui.

Oubliant toute prudence, Jocelyne se lève sur le bout des pieds et tente un regard à l'intérieur de la roulotte. Agnès veut l'arrêter, mais Jocelyne lui fait signe de se taire.

Pendant quelques secondes, tout le monde retient son souffle.

Notdog profite du fait que personne ne s'occupe de lui pour aller se dégourdir les pattes de l'autre côté de la roulotte. Du côté où il pourrait être vu de l'intérieur...

Jocelyne glisse le long du mur. John et Agnès l'interrogent du regard.

— Ça s'est calmé. Il y en a un qui se fait un café. L'autre se peigne. Et Rajiv regarde dehors, de l'autre côté.

— Et? demande John.

— Rien. Sauf une chose.

— Quoi? s'impatiente Agnès.

— Rajiv. Il n'a pas son turban sur la tête.

— Et alors? Qu'est-ce que ça peut faire? dit Agnès.

— Il y a une grosse repousse blonde dans ses cheveux. Ce n'est pas un vrai hindou.

— Indien, la reprend John.

À une vitesse incroyable, la porte s'ouvre et Rajiv bondit dehors, devant eux:

— Qu'est-ce que vous faites là, vous autres!?

Jocelyne lui fait signe de s'approcher et de baisser le ton:

— Viens! On va t'aider à te sortir de ça!

Rajiv hésite quelques secondes. Puis, contre toute attente, il se met à crier:

— Mon oncle, Claude! Venez vite!

Personne n'a le temps de se sauver. Les deux hommes sortent en courant. Un des deux tire de sa poche un couteau, menace John, l'autre empoigne Jocelyne et Agnès.

— Mais Rajiv... dit Jocelyne, abasourdie.

Rajiv ne répond rien.

Chapitre VIII
Rajiv choisit sa destinée

À l'intérieur de la roulotte, un robinet fuit. Le toc toc toc des gouttes qui tombent dans le lavabo en acier inoxydable remplit la pièce unique.

L'oncle est assis sur une banquette en *cuirette* et regarde les enfants, se demandant ce qu'il convient de faire. Claude, l'autre homme, verse dans une casserole, pour le faire réchauffer, le café qu'il n'a pas encore eu le temps de boire. Rajiv se concentre sur les pièces de métal qui ornent son turban.

— Il m'en manque une, remarque-t-il.

Alignés sur un lit minuscule, Jocelyne,

Agnès et John ne sont pas encore revenus de leur surprise. Rajiv n'a-t-il pas dit qu'il ne voulait plus voler?

Notdog croyait qu'il y avait une fête quand il a vu tout le monde entrer dans la roulotte. Il a gaiement rejoint ses amis, mais voilà qu'il ne se passe rien. Il s'étend par terre en soupirant, pensant que finalement la fête est plate.

Le premier à parler sera John. Il se sent responsable de toute cette histoire, puisque c'est lui qui a invité Rajiv à rencontrer les filles, avec tout ce qui a suivi. Il se sent aussi trahi, car il croyait s'être fait un nouvel ami. Mais de toute évidence, c'est un mot que Rajiv emploie à tort et à travers.

— Pourquoi tu as fait ça? demande-t-il.

Rajiv garde les yeux baissés sur son turban. Son oncle répond:

— Parce que c'est un très bon neveu et que jamais il ne laisserait une *gang* de morveux comme vous faire arrêter son oncle, hein, Jy-Pi?

Rajiv regarde John et se contente de dire:

— Mon vrai nom, c'est Jean-Pierre. Et je ne viens pas de l'Inde, je viens de Mont-réal.

— Mais on ne t'a rien fait, nous! lance Jocelyne.

— Je sais. Et j'ai essayé de vous tenir loin le plus possible.

— Tu savais au sujet de l'auto dans le lac? demande Agnès.

— Non. C'est un coup de chance. Les autres voitures, c'est nous, mais pas celle-là.

— C'est pour ça que tu étais si pressé de faire accuser MoTeur? dit John.

— Oui.

— Et la carcasse dans les bois? demande Jocelyne.

L'oncle bondit:

— Comment tu sais ça, toi?

Jocelyne hésite, ne sait pas si elle doit répondre. Mais l'autre insiste, menaçant.

— Euh... C'est à cause des clés...

— Mes clés! Tu les as!

Il s'approche:

— Donne!

Jocelyne fouille dans ses poches, les lui tend.

— Ma patte de lapin! Génial!

— Ils ont volé l'auto quand on est venus il y a trois mois, pour faire de la prospection, voir les environs, ce qu'on pourrait ramasser une fois ici. C'était juste pour le fun, pas pour la vendre, alors ils l'ont abandonnée, explique Rajiv-Jean-Pierre.

Mais un regard très dur de Claude l'oblige à se taire.

— On aurait pu t'aider, Jean-Pierre, dit tristement Agnès.

L'oncle éclate de rire:

— L'aider à quoi? À nous dénoncer? Moi qui m'occupe de lui, qui le nourris, l'habille, l'éduque même, depuis qu'il est orphelin? Moi qui ai été si bon pour lui? Voyons donc!

— Une belle éducation, oui! s'indigne Agnès.

— Tu sauras, la petite *smatte,* que Jean-Pierre n'est pas dans la rue au moins! Puis ça va faire, fermez-là! Ça va être l'ouverture officielle du festival, il faut y aller. Rajiv, tu es mieux d'être bon! Mets ton turban! Tu as vraiment besoin d'une teinture. Puis, vous autres... On s'occupera de vous autres après. Aide-moi, Claude.

Les enfants sont attachés séparément, John au lavabo, Agnès au lit et Jocelyne à la table de métal vissée au plancher. Des linges à vaisselle sont solidement fixés autour de leurs bouches pour que personne ne puisse les entendre.

Impassible, Rajiv assiste à cette scène sans bouger, sans protester.

Notdog, qui s'était jeté sur les deux hommes en grognant quand il les a vus maltraiter Jocelyne, a subi le même sort: les pattes attachées, la gueule muselée par un bout de coton. Il reste étendu sur le côté, impuissant, gémissant.

— Pas de danger qu'on les entende maintenant, dit Claude.

Les hommes sortent enfin. Avant de passer la porte, Rajiv se retourne, soupire:

— Vous n'auriez pas dû vous mêler de ça.

Laissés seuls, les inséparables essaient de se défaire de leurs liens. Mais rien à faire. Cette fois-ci, ils ne peuvent s'en sortir.

Du dehors, on entend le père de John qui appelle:

— John! John! Vous avez vu *my son*? Je le cherche depuis *un* heure! demande-t-il à quelqu'un.

Mais personne ne les a vus.

Chapitre IX
Avez-vous déjà vu
un chien rougir?

Dans un bruit infernal de cymbales et de guitare électrique, les Oignons Roses entament la chanson thème du festival, *Ça «bouille» au pays de l'épi.*

La mascotte Grain de Beauté se fait aller le foin en donnant la main à tous les enfants. Sauf au petit Dédé Lapointe qui se tient loin, car il se demande si ce n'est pas un extra-terrestre qui se cache derrière le costume.

Le père de John est prêt à monter sur l'estrade, où il doit animer l'inauguration. Fâché contre son fils qu'il cherche depuis une heure, il commence à s'inquiéter. À ses côtés, le maire Michel s'étouffe en fumant. Il prononcera bientôt son discours en toussant comme une cheminée.

Tout le village est là, espérant que la cérémonie ne sera pas trop longue. Car tout de suite après, on servira du blé d'Inde à toute l'assistance, dont la majorité n'a pas mangé depuis le matin... pour pouvoir se bourrer la face.

Dans la roulotte, les inséparables sont toujours immobiles et impuissants. Leur seul espoir: Notdog. Car à force de se trémousser et de se frotter le nez par terre, il a réussi à desserrer le coton qui lui muselle la gueule.

Avec un peu de patience, il réussira à l'enlever tout à fait. Puis, il commencera à gruger les liens de ses pattes. «Ça va lui prendre mille ans au moins!» pense Jocelyne. Mais ils espèrent. Et ça prendra le temps qu'il faudra. Trop, probablement.

Le ciel s'est tellement assombri qu'on dirait qu'il va faire nuit. L'orage promet d'être spectaculaire.

Jocelyne, Agnès et John regardent Notdog se débattre. Agnès admire sa ténacité. John, sa patience. Jocelyne de son côté ressent toute l'affection et tout l'amour du monde pour ce chien qui partage sa vie, la fait rire, l'inquiète, la fâche et l'amuse.

C'est au moment où des larmes de tendresse lui montent aux yeux qu'elle croit avoir une hallucination. Là, sur sa droite, au-dessus du comptoir, un couteau pointu est suspendu dans les airs.

Elle cligne des yeux pour les assécher: non, elle n'a pas d'hallucination. Elle gémit pour attirer l'attention de ses amis. Ils la regardent, elle se tourne vers le comptoir. Ils la suivent du regard et voient eux aussi le couteau volant.

Lentement, avec une trajectoire très droite, le couteau s'approche. Il semble lourd, mais il avance dans le vide comme par sa volonté propre. Soudain, un cri arrive du dehors:

— Rajiv! Viens ici!

Le couteau tombe par terre.

— J'arrive, mon oncle. J'avais... euh... envie de pipi, oui, je viens, répond Rajiv-Jean-Pierre. Et sa voix s'éteint à mesure qu'il s'éloigne.

Le couteau est là, juste un peu trop loin.

***

— Que la fête commence! Et que le

Faut-il croire à la magie ?

blé d'Inde fût! lance le maire Michel entre deux accès de toux.

— Soit, monsieur le maire, que le blé d'Inde soit, lui chuchote à l'oreille un de ses conseillers, M. Bidou.

Mais personne n'attend que le maire corrige sa faute. Déjà, plusieurs se pressent près des grandes marmites bouillantes. D'autres, moins affamés, vont voir l'attraction spéciale de ce festival, le jeune Indien qui déplace des objets à distance.

L'oncle de Rajiv invite les curieux à venir assister à cette performance extraordinaire, alors que Claude vend les billets. Rajiv s'installe pour le spectacle, mais il ne pense pas à son numéro. Il sait qu'il ne peut plus s'éclipser et qu'il ne peut plus rien faire pour les inséparables.

***

C'est ce jour-là que John acquit son surnom de «blé d'Inde olympique». À force de se tortiller, de s'étirer, de se déhancher, de se démener, de s'allonger et à force de contorsions des plus compliquées, il a fini par atteindre le couteau. Par l'approcher. Par le saisir. Et patiemment, par couper ses liens. Juste au moment où Notdog se débarrassait de son cache-nez. En cinq minutes, tout le monde était dehors.

***

Des oh! et des ah! d'admiration et d'étonnement fusent de partout dans l'assistance.

— Il est bon en titi! dit une petite fille.

Rajiv fait voler une petite cuillère remplie d'eau sans en renverser.

— Écoeurant! dit un ado.

Rajiv fait verser la cuillère juste au-dessus de lui et l'ado lâche un ayoye!

— Il y a un truc, c'est sûr! s'exclame M. Vivieux, l'assureur.

Rajiv fait danser un vingt-cinq sous.

— Heille! C'est *crackpot* au *boutte!* dit Bob Les Oreilles Bigras qui s'est faufilé sous la toile de la petite tente sans payer.

Émerveillé, Bob arrête même de manger son *sundae* au caramel recouvert de miettes de bonbons multicolores.

Rajiv se tourne vers lui. Et voilà la cuillère du *sundae* qui sort de son contenant.

— Heille! s'écrie Bob, éberlué.

Et la foule éclate de rire en le regardant essayer de la rattraper.

Cela a pris quelques minutes à tout le

monde pour comprendre que l'entrée du chef de police ne faisait pas partie d'un numéro. Et que l'arrestation du maître de cérémonie et du déchireur de billets n'était pas une farce, mais une véritable arrestation. En fait, c'est quand les policiers ont fait évacuer la salle que les gens ont compris que c'était sérieux. Et que le spectacle était fini.

Dehors, un attroupement s'est formé. Mme Descartes a laissé une cliente au moment où elle lui promettait un grand amour, pour aller voir ce qui se passait.

Le garçon du kiosque des jeux de dards a laissé en plan des gens qui venaient juste de gagner un toutou.

Des badauds grugeant du blé d'Inde regardent les deux hommes qui baissent la tête et entrent dans la voiture de l'assistant du Chef. Avec beaucoup de douceur, le Chef lui-même invite Rajiv à le suivre.

— Je suis content que vous ayez pu vous sauver, dit Rajiv à John.

— Sans toi, on n'aurait pas pu, répond John.

— Merci, Rajiv... euh... Jean-Pierre, comment tu veux qu'on t'appelle? demande Jocelyne.

— Par mon vrai nom. C'est fini, je crois, Rajiv, répond-il.

Agnès s'approche:

— On est tes amis, tu sais. On va t'aider.

Rajiv lui sourit:

— Merci.

Il entre dans la voiture.

Le petit Dédé Lapointe passe. Sa mère le tient par la main, le tire plutôt. Il fait signe à John:

— Je crois qu'elle aussi en est une.

— Une extra-terrestre? demande John.

— Oui! Elle m'a trouvé!

— Et?

— Ça veut dire qu'elle a des antennes!

C'est à ce moment-là que le tonnerre éclate. Et Mme Descartes éclate aussi:

— Les fenêtres chez nous! Elles sont toutes ouvertes!

Elle court vers son auto, y monte, démarre. Et qui se lance à sa poursuite? Notdog, qui n'écoute pas sa maîtresse le rappeler à grands cris.

— Je vais en avoir le coeur net, cette fois-ci! John, Agnès, il faut le suivre!

Là-dessus, le père de John arrive en courant:

— Te voilà! Veux-tu m'expliquer...

Mais John l'interrompt et il lui montre Mme Descartes qui sort du stationnement:

— Vite, il faut la suivre! Où est ton auto?

— Mais...

— Dispute pas!

Le père de John s'élance, suivi des inséparables.

— Discute pas, John, pas dispute pas, le reprend Agnès en courant.

La pluie tombe à grosses gouttes. Les essuie-glace fonctionnent à grande vitesse.

— On peut le rattraper, ton chien, dit le père de John.

— Non, je veux savoir où il va! répond Jocelyne.

— O.K.

Et ils suivent en silence la voiture et Notdog jusque chez la tireuse de cartes.

Elle sort de son auto et voit Notdog, tout essoufflé.

— Qu'est-ce que tu fais là, toi?

L'autre voiture arrive et les inséparables en descendent, devant une Mme Descartes perplexe. Jocelyne lui explique que son chien se sauve à tout bout de champ et qu'elle veut savoir pourquoi il la suit.

C'est alors que Jocelyne voit Notdog disparaître dans une ouverture pratiquée dans la porte d'une petite grange.

— Réglisse! lance Mme Descartes qui se met à rire.

Devant le regard interrogateur de tout le monde, elle leur dit de suivre Notdog pendant qu'elle va fermer ses fenêtres.

Jocelyne lève le loquet, pousse la porte. Dans la lumière, elle voit une sorte d'enclos.

Elle y aperçoit son chien. Les inséparables s'avancent.

À côté de Notdog, il y a une belle chienne toute noire, couchée. D'où, bien sûr, le nom de Réglisse. Et, soudainement réveillés par l'activité alentour, six petits museaux s'élèvent. On entend des petits gémissements, on voit six paires de petits yeux s'ouvrir, une multitude de petites pattes se mettre debout et six petites queues battre l'air en s'approchant des visiteurs. Quatre chiots noirs, deux jaunes. Avec l'air ébouriffé et le poil en corde de poche.

Jocelyne comprend tout de suite qu'il s'agit des enfants de Notdog. Et elle a la certitude qu'en la regardant, Notdog rougit de fierté.

Faut-il croire à la magie ?

Chapitre X
Tu seras un chien, mon fils

L'oncle de Jocelyne, Édouard Duchesne, s'est porté garant de Rajiv-Jean-Pierre, qui a alors passé la nuit chez Jocelyne. Il est dix heures du matin. Et on cogne à la porte de la cuisine. Jocelyne va ouvrir.

— Salut! dit-elle la bouche pleine de rôties et de caramel.

— Bonjour, Joce! Salut Ra... Jean-Pierre! Tu sais, je ne m'habitue pas à t'appeler Jean-Pierre, dit Agnès en entrant.

— Bof! Appelle-moi comme tu veux! Un ou l'autre, répond le garçon qui engloutit sa cinquième rôtie confiture-fromage-en-tranches.

Assis près de lui, Notdog attend. Car Jean-Pierre lui refile un quart de chacune de ses rôties. Agnès s'assoit à la table:

— Je ne sais pas encore quel nom je préfère.

— Tire à pile ou face. Tu veux un chocolat? demande Jocelyne.

— C'est une bonne idée.

— Quoi? Le chocolat?

— Non, tirer à pile ou face. Mais je prendrai bien un chocolat aussi.

Agnès fouille dans ses poches et trouve une pièce.

Toc! Toc! Toc! On frappe de nouveau. Mais John n'attend pas que Jocelyne lui ouvre et il entre, tout souriant.

— Eh! Tu as bien l'air de bonne humeur: tu as gagné une bicyclette neuve? demande Jocelyne.

— Non. Vous ne débarquez rien?

— Remarquez, John, pas débarquez, le reprend Agnès. Non, rien de spécial. Toi, Jocelyne?

Elle le regarde de haut en bas:

— Non, moi non plus.

— Je ne suis plus habillé en blé d'Inde! s'exclame-t-il, découragé du peu de sens d'observation de ses amis.

— Dommage. Je commençais à te trouver beau en épi, le taquine Jocelyne.

— Beau?! Tu veux dire que maintenant j'ai l'air d'un pichou? s'attriste John.

— Mais non, c'était une blague. C'est susceptible quand même, les gars. Tu veux un jus?

Agnès joue avec la pièce qu'elle a dans la main.

— Bon, pile, c'est Jean-Pierre, face, c'est Rajiv.

Elle lance la pièce en l'air, la regarde tournailler, l'attrape, la met sur le dos de sa main gauche en la cachant avec sa main droite. Elle enlève sa main:

— Qu'est-ce que c'est ça?

— Heille! Ça va sur mon turban! C'est la pièce qui manque en avant! Tu l'as trouvée où? demande Jean-Pierre.

— Euh, je ne sais pas... je... À moins que je ne l'aie ramassée au parc, quand je cherchais un indice, le parc où Bob Les Oreilles a dit qu'il avait perdu ses clés.

— Tu avais trouvé un indice, dit Jean-Pierre.

— Alors, c'est bien toi qui lui as piqué ses clés? demande Jocelyne.

— Oui.

— En avance? demande John.

— Pardon?

— De loin, je veux dire.

— À distance, John, précise Agnès. Tu as donc fouillé dans ses poches?

— Non, je l'ai fait à distance. Tu penses toujours que c'est arrangé? Même après le couteau que je vous ai envoyé pour vous libérer? demande Jean-Pierre à Agnès.

Mais avant qu'elle réponde, on sonne à la porte de devant cette fois-ci. Notdog se précipite et Jocelyne ouvre. Le chef de police est là:

— Vous êtes prêts?

— Oui, oui, on arrive. Le Chef est ici! crie-t-elle à ses amis.

Ils accourent. Agnès a une moustache de chocolat. Jean-Pierre plie sa rôtie en quatre et se la met au complet dans la bouche. Et John se regarde en passant dans le miroir pour vérifier s'il est beau ou non.

Ils montent dans la voiture du Chef, qui démarre. Il fait beau et chaud ce matin, et la pluie d'hier s'est envolée en vapeur. Tout est tranquille dans la campagne, sauf qu'un bruit de moteur se rapproche de plus en plus pour arriver bientôt à leur hauteur. Couettes au vent et casque enfoncé sur les yeux, Bob Les Oreilles Bigras les dépasse dans un nuage de poussière.

— Il a déjà récupéré sa moto? demande Agnès au Chef.

— Oui, il a été chanceux, car elle n'avait pas été mise en morceaux. Steve, par contre, n'a pas eu la même chance: sa Mustang a déjà été vendue pour les pièces.

— Pauvre Steve! s'attriste Jocelyne. Et Maurice Teurbine? Il n'a rien à voir dans cette histoire-là?

— Dans cette histoire-là, non. Mais il a commis un délit, lui aussi: il a fait disparaître lui-même son camion.

— Pourquoi? Il roulait bien, dit John.

— Pour toucher l'argent de l'assurance et s'acheter un camion neuf. Ça arrive souvent, vous savez, explique le Chef.

Jean-Pierre reste silencieux. Soulagé que cette histoire finisse, il se sent quand même coupable d'avoir contribué à l'arrestation de son oncle. Qu'il aime bien, malgré tout.

— Tu es triste, lui dit Agnès doucement.

— C'était un escroc, mon oncle, mais il avait ses bons côtés.

Il soupire. Car il pense à la destinée qu'il a choisie, quelque chose d'inconnu et d'incertain. Cet après-midi, il sera pris en charge par une travailleuse sociale qui l'amènera passer quelque temps dans un centre d'accueil.

— En tout cas, tu as de la chance, lance Jocelyne.

— Moi?! répond Rajiv, surpris.

— Oui, parce que tu as un don qui te permettra sûrement de réussir ta vie. Je n'en ai pas, moi.

— Mais tu as des amis, un oncle qui t'aime et un chien fabuleux. C'est très précieux.

Comme s'il avait compris le compliment, Notdog aboie un coup et lèche la main de Rajiv. À moins que ce ne soit pour lui donner du courage.

L'auto s'engage dans le chemin de terre et arrive à la maison de Mme Descartes. Elle les accueille en faisant tinter ses bracelets :

— C'est gentil à vous, Chef, de les a-mener.

— C'est ma journée de congé. Et il n'y a rien que je ne ferais pas pour mes grands détectives. Hum, ça sent le bon café chez vous.

— Venez, il est frais fait.

Le Chef et la tireuse de cartes entrent dans la maison. John, Agnès, Jocelyne, Jean-Pierre et Notdog entrent dans la grange. Encore une fois, les chiots les saluent par des battements de queue et des bâillements qui montrent des dents mi-nuscules. Notdog les inspecte et Réglisse vient chercher des caresses auprès des in-séparables.

— Je vais m'occuper de trouver un bon foyer à chaque chien, dit Jocelyne.

Elle s'assoit par terre et prend un petit chien noir dans ses bras. Aussitôt, la pe-tite langue lui lèche le menton.

— J'aimerais en avoir un, mais je ne peux pas parce que ma soeur est al-lergique aux chiens, explique Agnès à

Jean-Pierre.

— Moi, c'est ma mère qui ne veut pas. À cause de ses huit chats, continue John, qui en aurait bien voulu un, lui aussi.

— Si tout va bien, je reviendrai en chercher un. Tu m'en garderas un, hein Jocelyne? demande Jean-Pierre, presque suppliant.

— Le temps qu'il faudra, promis. Lequel tu veux?

— C'est difficile de choisir.

C'est alors qu'un petit chien jaune s'avance vers lui, s'assoit devant ses pieds et le regarde, l'air de dire «prends-moi». Jean-Pierre le prend, le petit chien le sent, se cale dans ses bras, mordille son chandail, puis ferme les yeux et commence à dormir.

— Ce sera celui-là, dit-il.

Un peu gênée, Agnès toussote:

— Tu sais, je ne voulais pas d'un autre inséparable, mais si jamais ça te tente de venir nous aider dans nos enquêtes, ce serait le fun...

Les yeux de Jean-Pierre s'illuminent:

— C'est vrai? J'aimerais tellement ça! Et puis, on ne sait jamais, mon pouvoir peut être utile dans une enquête!

Agnès le regarde, lève juste un sourcil:
— Quand même, je suis sûre qu'il y a un truc...

Sylvie Desrosiers

QUELQU'UN A-T-IL VU NOTDOG ?

Illustrations
de Daniel Sylvestre

la courte échelle

Chapitre I
La disparition
du capitaine Gaston

Ce soir, la mer est très calme. À mi-chemin entre l'île du Havre-Aubert et l'Île-d'Entrée, le bateau du capitaine Gaston bouge au rythme lent des vagues. À son bord, un seul passager, le capitaine lui-même, est en train de pêcher son souper.

Nous sommes en mai. La saison du homard vient tout juste de commencer et Gaston a mis une cage à l'eau.

Grand, mince et athlétique, affublé de l'éternelle casquette noire qui cache sa calvitie naissante, il regarde l'horizon en pensant à autre chose. Aux excursions de pêche au maquereau qu'il organisera cet été pour les touristes. Rien de plus facile à pêcher que le maquereau. Même les enfants y arrivent.

Il se demande quelle nouvelle couleur il choisira pour son bateau. Mauve ou rouge? Il revoit de temps en temps les images du naufrage. Et parfois, très brièvement, il ressent ce poids sur sa conscience qu'il voudrait bien voir disparaître.

Avec l'indifférence de l'homme d'expérience, le capitaine Gaston hisse sa cage. Mais ce n'est pas un homard qui y est enfermé.

Ses mains expertes aux doigts puissants empoignent cette chose informe et jaunâtre pour l'examiner de plus près.

* * *

Ce soir-là, la nuit est déjà tombée quand *La vague à l'âme*, le bateau de Gaston, rentre au port. La manoeuvre est parfaite, celle d'un vieux loup de mer qui mène son navire au quai les yeux fermés.

Martine, la jeune fille qui vend les billets d'excursions, vient aider pour amarrer.

Quelqu'un a-t-il vu Notdog ?

Jamais elle ne verra le capitaine. Après l'avoir cherché, elle est bien obligée de se rendre à l'évidence. Le bateau est rentré sans personne à son bord.

Depuis, on n'a pas revu le capitaine Gaston.

Chapitre II

Les garçons, les bouffons, les filles, les béquilles

Une fourgonnette bleue sort du ventre d'un énorme traversier. Pendant que l'homme au volant consulte une carte des Îles de la Madeleine tout en conduisant, la femme assise à côté de lui cherche l'adresse de la maison qu'ils ont louée.

Sur la première banquette derrière elle, deux jeunes de douze ans sont en grande conversation. Il y a d'abord Agnès, une jolie rousse qui porte des broches*, et John, un Anglais blond à lunettes.

* Appareil orthodontique.

— Tu crois qu'elle s'en sortira? demande Agnès.

— Je ne gagnerais pas un dix là-dessus, répond John.

— Gagerais, John, pas gagnerais, le reprend Agnès, comme chaque fois que le garçon fait des fautes de français.

— Ça ira mieux quand elle aura mangé un bon pâté chinois, lance la dame assise en avant, la mère d'Agnès.

On entend alors une plainte venant de la deuxième banquette.

— Ne me parlez pas de manger, s'il vous plaît! implore une voix faible.

C'est celle de Jocelyne, qui a douze ans elle aussi, l'amie des deux autres, la troisième du fameux trio des inséparables. Elle est allongée, blême, livide même, après plus de cinq heures de traversée et de mal de mer. Elle râle:

— Ça commence mal en titi. Moi qui avais tellement hâte à ce voyage…

À côté d'elle, Notdog, son chien, reconnu comme étant le chien le plus laid de leur village, la regarde, perplexe. «Elle a changé de couleur d'un coup. Elle fait peut-être son poil d'été», pense-t-il.

Il a bien envie de se dégourdir les pattes. Depuis deux jours, ils ont quitté leur village des Cantons de l'Est pour trois semaines de vacances aux Îles.

Horrifiée à l'idée d'aller s'ennuyer dans une maison sans télévision, Agnès a demandé à ses parents d'emmener ses deux grands amis. Ils ont accepté tout de suite, sachant bien qu'en vacances trois enfants valent mieux qu'un si on veut pouvoir se reposer un peu.

Il fait frais, il fait beau. Après vingt minutes de route, ils arrivent enfin à destination. Sur le bord d'une falaise, au pied d'une butte surmontée d'une croix blanche, se dresse une immense maison bleue.

— C'est bien ici, constate la mère d'Agnès en consultant la télécopie envoyée par le propriétaire. Comme elle est belle! C'est quand même incroyable de l'avoir eue pour si peu cher.

De l'autre côté de la rue, un jeune garçon observe l'arrivée de ces touristes. Il a les cheveux coupés ras et porte un chandail à manches courtes même s'il fait assez froid pour mettre trois couches de polar au moins. Les mains dans les

195

poches, il donne des coups de pied sur une roche imaginaire pour ne pas avoir l'air trop curieux.

Il voit John, Agnès et Jocelyne se précipiter sur le bord de la falaise. Il devine qu'ils ont à peu près le même âge que lui.

Il regarde Notdog qui sautille partout, faisant déguerpir quatre énormes corneilles qui se reposaient sur un promontoire. «Ce chien est laid, mais sympathique», pense-t-il.

Voyant les adultes décharger une tonne de bagages, il en déduit qu'ils sont là pour longtemps.

C'est alors qu'une voix appelle: «Ciment!»

Les inséparables se retournent, surpris. Ils aperçoivent le jeune garçon. Ils avancent lentement vers lui.

— Salut, dit Jocelyne.

De nouveau, la voix:

— Ciment!

— J'arrive, crie le garçon.

— Tu t'appelles Ciment? pouffe Agnès.

— Oui. Qu'est-ce que ça a de drôle?

— C-I-M-E-N-T?

— Non. S-I-M-O-N. Ciment. Ciment Saint-Laurent.

John comprend tout et voit déjà en Simon un ami:

— Moi aussi, j'ai un accent, et elles rient toujours. Je m'appelle John.

— Ici, c'est vous autres qui avez un accent, rétorque Simon. Vous êtes aux Îles pour combien de temps?

— Trois semaines, répond Jocelyne.

— J'espère…

— Pourquoi dis-tu ça?

— Parce que vous avez loué l'ancienne maison du capitaine Gaston. Enfin, la maison qu'il habitait depuis le naufrage de son premier bateau. Mais ça, c'est une autre histoire.

— Et?

— Ça fait trois mois que la maison est vide. Depuis que le capitaine a disparu, en fait. Mais on raconte qu'il l'habite encore… Du moins son fantôme. Je ne l'ai jamais vu, moi, mais vous verrez.

Au troisième appel de sa mère, Simon rentre chez lui sans plus d'explications.

Les inséparables traversent la rue où il ne passe pas plus d'une voiture à l'heure et entrent dans la maison. Elle est belle, fraîche, avec de grandes pièces et une baie vitrée donnant sur la mer. Partout, la décoration rappelle la mer. Une réplique de bateau de pêche dans une bouteille, des coquillages, une étoile de mer géante, des «dollars de sable».

Au salon, une photo d'un marin souriant dans son imperméable, une casquette sur la tête. *Le capitaine Gaston disparaît mystérieusement en mer*, dit la légende.

— Pas un mot à ma mère sur les insinuations de Simon, chuchote Agnès. Si elle apprend que la maison est peut-être hantée, peureuse comme elle est, elle va vouloir qu'on s'en retourne tout de suite.

À l'idée d'un bon mystère à éclaircir, Jocelyne a repris des couleurs et de l'enthousiasme:

— Cherche, Notdog! Cherche le fantôme!

Notdog se met à renifler dans tous les coins, puis s'arrête. «Eh! Une minute! Ça sent quoi, un fantôme?» se demande-t-il.

Jocelyne part à courir avec son chien et monte les marches deux par deux. Notdog, qui raffole de la course et veut toujours arriver le premier, lui passe entre les jambes à toute vitesse. C'est ainsi qu'a lieu la deuxième catastrophe du voyage pour Jocelyne: elle perd pied et se retrouve en bas de l'escalier, les quatre fers en l'air, à hurler de douleur.

* * *

Après le voyage, après l'installation, après l'attente à l'hôpital, après le repas, après qu'on eut défait les valises et fait les lits, ce soir-là, tout le monde va se coucher tôt, épuisé.

Les inséparables partagent la même chambre. Les filles dorment dans un lit à deux étages, Agnès en haut, Jocelyne en bas. Elle n'a pas le choix, à cause des béquilles avec lesquelles elle devra marcher durant toutes les vacances. Car sa chute lui a causé une mauvaise foulure à la cheville.

John, lui, est installé sur un matelas par terre. Alors que les filles rêvent déjà, une question lui trotte dans la tête. «Simon a dit que le capitaine avait disparu. Il n'a pas dit qu'il était mort. Il faudra vérifier ce bétail.»

Bien sûr, le bon mot est «détail». Mais il s'endort sans se rendre compte de son erreur.

Chapitre III
Un rallye qui rallie presque tout le monde

— Comment je vais faire, moi, pour marcher sur le sable avec des béquilles?

Avec toutes les difficultés du monde, Jocelyne essaie de s'habituer à sa nouvelle situation. Dehors, dans l'herbe, elle fait quelques pas, s'arrête, soupire. C'est bien sa chance. Elle vient au bord de la mer pour la première fois de sa vie et elle ne pourra mettre qu'UN pied à l'eau. Elle qui avait tant rêvé de courir sur la plage avec son chien!

Notdog tourne autour d'elle, indécis. «Est-ce qu'elle serait fâchée si je faisais ma marque sur ces beaux poteaux qui lui servent de jambes?» se demande-t-il.

Son instinct l'avertit qu'il vaut mieux oublier l'idée.

— Salut! Comment c'est arrivé?

Jocelyne lève la tête. Le vent lui colle les cheveux sur les yeux. Elle essaie de les dégager, se tenant en équilibre précaire sur ses béquilles. Devant elle se tient Simon, ou Ciment.

— Une niaiserie. J'ai glissé dans l'escalier.

Le garçon hésite:

— Ce n'est peut-être pas ça. Et si tu avais été poussée? Par… quelqu'un?

Jocelyne, qui a soudainement peur à retardement, chasse vite cette idée:

— Mais non. C'est la faute de mon chien.

Une porte qu'on ouvre claque au vent. Agnès et John sortent de la maison.

— Est-ce qu'il vente toujours autant, ici? demande Agnès.

— Presque.

— J'ai hâte que ça arrête.

— Quand ça arrête, il y a des maringouins gros de même, dit Simon en écartant les mains l'une de l'autre d'au moins trente centimètres.

Les inséparables se consultent du regard.

Quelqu'un a-t-il vu Notdog ?

— On va prendre le vent, finalement, décide John. Ça va ?

Simon met du temps avant de répondre. Pas pressé, il a l'air de réfléchir tout en scrutant les visages des trois amis. Puis :

— Un rallye est organisé sur l'île. Je suis venu vous demander si ça vous tentait d'y participer. Il y a un cerf-volant géant à gagner.

— On ne pouvait pas mieux choisir, murmure Agnès, qui vient juste de recevoir en plein visage une page de journal venue d'on ne sait où.

Simon explique :

— Ça se passe ici, sur l'île. Il y a des messages et des énigmes à résoudre qu'on peut trouver partout, sur les plages, dans le port, dans les grottes. N'importe qui peut s'inscrire.

John est déjà tout excité à l'idée de l'aventure :

— Qu'est-ce qu'on cherche ? Un trésor ? Des bijoux ? De la vieille manette ?

— Monnaie, John, pas manette, le reprend Agnès.

Simon a un petit sourire :

— On cherche le trésor du capitaine Gaston. Un faux trésor, bien entendu.

Qu'on a appelé comme ça en l'honneur de mon oncle.

* * *

Dans l'ancien fumoir à poisson, transformé pour l'occasion en quartier général, les organisateurs du rallye essaient tant bien que mal de se démêler dans leurs papiers. Ils n'avaient pas prévu qu'il viendrait tant de monde.

Dans la file des gens venus s'inscrire, on trouve de tout. Des ados à vélo, la majorité. Des enfants trop jeunes pour ce type d'activité, traînés là par leurs parents qui leur cherchent une occupation constructive, éducative et, accessoirement, amusante. Des grands presque majeurs qui s'ennuient à mourir. Et enfin, John, Agnès, Jocelyne, Notdog et Simon.

— Celui qui prend les inscriptions, là... montre-t-il.

— Le jeune avec les cheveux blonds et le chandail trop grand? demande Jocelyne.

— Oui. C'est un peintre et un sculpteur. Sa spécialité, c'est la sculpture sur sable. À cause de ça, on l'a surnommé «Rio-Pelle».

À côté du sculpteur, une jeune femme s'affaire à distribuer cartes de participation et horaires. On ne peut pas ne pas la remarquer avec sa longue chevelure rousse, épaisse et bouclée.

— Elle, c'est une actrice qui fait de la mise en scène. Il n'y a pas une pièce d'école primaire ou secondaire qu'elle n'a pas aidé à monter! Elle vient de l'île anglaise. Elle s'appelle Holly Wood.

— Et lui? Qui est-ce?

Agnès indique un homme appuyé au mur, près d'une fenêtre, un peu à l'écart. Sur son épaule gauche, descendant jusqu'au bas des côtes, on voit une longue et fine tresse brune, striée de cheveux gris. Les bras croisés, silencieux, il reste immobile.

— Lui? C'est l'homme à tout faire des Îles. Il s'appelle Manuel. Il est à la fois marin, menuisier, mécanicien, plombier, cuisinier. Il donne même des cours de kayak.

C'est maintenant au tour des inséparables de s'inscrire.

— Adresse? demande Rio-Pelle.

— Je ne sais pas, répond Agnès, mais on habite la grosse maison bleue au pied de la croix.

Soudain, c'est le silence total. Et tous les yeux sont tournés vers les inséparables.

Étonné de ne plus rien entendre, Notdog dresse les oreilles. «Oh! oh! Ou bien j'ai des mites et je vais avoir droit au méganettoyage d'oreilles, beurk! Ou bien le vétérinaire leur a coupé les cordes vocales, comme il l'a fait à mon ami Sultan.»

Il en est là dans ses réflexions quand la porte s'ouvre lentement en craquant. Mais personne n'entre. Qu'un coup de vent.

La première à parler est Holly Wood.

— Vous n'êtes pas d'ici. Connaissez-vous un peu l'île? Sinon, ce sera peut-être difficile de faire ce rallye.

— Simon sera notre druide.

— Guide, John, pas druide, lui souffle Agnès.

Manuel quitte son poste près du mur et s'avance vers le petit groupe d'un pas traînant.

— Vous aurez alors une longueur d'avance sur les autres.

— Pourquoi? demande Agnès.

— Parce que Simon connaît l'île de fond en comble. Et parce qu'il est le neveu du capitaine Gaston. Ça pourrait lui porter chance.

Manuel se tourne vers Rio-Pelle:

— Est-ce que les membres de la famille ont le droit de participer?

— Mais oui, voyons! Tout le monde sait que le trésor qu'on cherche, c'est nous qui l'avons caché. Et Simon ne sait pas plus que les autres où il est.

Holly Wood ricane:

— Je me demande même si quelqu'un arrivera à le trouver.

Elle leur remet l'horaire, le point de départ, le premier indice:

— Bonne chance!

Notdog sort du fumoir à regret, car il aimait beaucoup l'odeur de vieux poisson mort incrustée dans le bois.

Fatiguée de se tenir debout, Jocelyne s'assoit sur un banc près de l'eau pleine d'algues du port de plaisance.

Agnès va acheter des crèmes glacées pendant que John et Simon décachettent l'enveloppe qui contient le premier indice.

Sur la plage de Sandy Hook, on ne voit qu'elle. Et c'est au plus près d'elle que vous trouverez la suite.

Pendant qu'au village on travaille à déchiffrer le message, à la maison bleue, du bacon cuit dans une poêle à frire. Sauf qu'on n'y voit personne.

Chapitre IV
Trouver n'est parfois qu'une question de temps

Dans un rallye, c'est le premier arrivé qui gagne, on le sait. Jocelyne le sait aussi. Elle avance péniblement alors que ses béquilles s'enfoncent dans le sable. Elle est à la fois contente que ses amis l'attendent — ça, ce sont de vrais amis — et triste de les ralentir.

Notdog la suit de près. «Pourvu que personne n'ait l'idée de me lancer un bâton dans l'eau en disant «VA CHERCHER»! Si on pense que je vais sauter dans cette eau glaciale, non merci.»

— *On ne voit qu'elle*, selon l'indice. Moi, je ne vois que la mer, soupire Agnès.

— Ou du sable. Mais alors, on n'aurait pas écrit *elle*, continue John, fier de pouvoir bien faire la différence de genre en français, pour une fois.

Jocelyne arrête de marcher, prend le temps de regarder autour d'elle.

— Il y a cette grosse île devant nous. On ne voit qu'elle aussi, non?

Simon explique:

— Il s'agit de l'Île-d'Entrée. Il n'y a que des Anglais qui y vivent. Holly Wood vient de là. *Au plus près de l'île* serait bien sûr au bout de la plage. On n'est pas les premiers à y penser.

En effet, tout au bout de la plage de Sandy Hook, on aperçoit les derrières de vingt personnes qui cherchent, penchées vers le sol.

Déjà, certains rebroussent chemin et marmonnent en passant près des inséparables.

— Rien. Il n'y a rien. On s'en va manger à la place.

Bientôt, d'autres les suivent. Et d'autres. «C'est pas juste.» «C'est trop dur pour les enfants.» «C'est un jeu stupide.»

Seule une poignée d'irréductibles fouillent encore le sable, sans résultat.

Agnès se laisse tomber sur le sol et commence à lentement enterrer ses pieds.

— Elle n'aura pas duré trop longtemps, cette chasse au trésor, déplore-t-elle.

— L'indice a peut-être été emporté par le courant, suggère John.

Quant à Jocelyne, elle parle à son chien:

— Moi, je ne peux pas aller dans l'eau, et je voudrais donc! Toi, tu peux courir dedans et tu restes collé à mes béquilles. C'est quoi, ton problème?

Notdog lui tend la patte, heureux de ne pouvoir répondre à cette question embarrassante pour son honneur de chien.

— Quand la marée descendra, il aimera mieux ça, dit Simon. Il y aura des bandes de sable plus loin et, entre elles et la plage, l'eau sera vite réchauffée par le soleil.

Ils y pensent alors tous en même temps. Mais c'est Jocelyne qui pose la question:

— À quelle heure est la marée basse?

— À quinze heures.

John enchaîne:

— Est-ce qu'il y a une bande de terre au bout de la plage?

— Oui.

— Qui fera qu'on se rapproche encore de l'Île-d'Entrée… conclut Agnès.

— Oui. Allons manger.

En marchant, John pense à sa réflexion du premier soir, avant de s'endormir.

— Simon, il y a une chose qui me chipote.

— Chicote, tu veux dire? demande le garçon.

— Oui. Le capitaine Gaston a disparu. Mais est-il mort?

— Il a disparu en mer, John.

Ils poursuivent leur chemin. John ne peut que constater que Simon n'a pas répondu à sa question.

* * *

Vers quatorze heures quarante-cinq, John, Agnès, Notdog, Jocelyne et Simon reviennent à la pointe de la plage.

La mer s'est retirée, faisant apparaître de longues étendues de sable. Sur l'îlot le plus éloigné, bien visible, une bouteille en plastique traîne. Elle est bien ancrée dans le sable. Agnès l'ouvre. Dedans, un papier.

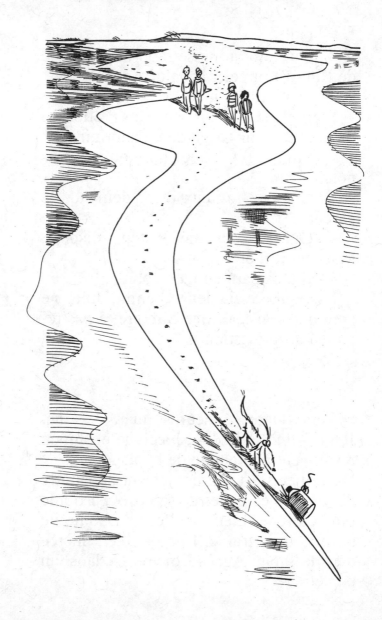

Bravo. Vous avez trouvé le premier indice. Voici le deuxième.

Il ne sert peut-être plus, mais il n'est pas interdit d'y pêcher.

— Un quai? Une chaloupe? Un bateau? suggère Jocelyne.

«Pas encore dans l'eau...» pense Notdog.

— L'épave! lance Simon. Un bateau qui ne sert plus.

Ils remettent l'indice à sa place. Pendant qu'ils se dépêchent, ils croisent des participants qui ont compris, eux aussi, le premier indice.

Au passage de tous ces pieds, le sable glisse, s'enfonce. Les semelles et les orteils laissent leurs marques jusqu'à ce que le vent ou la mer les effacent. Au milieu de ces nouvelles traces, personne ne remarque celles qui se font toutes seules.

Chapitre V

L'heure est grave, mais personne ne le sait encore

Dans sa petite maison verte, en retrait de la route Principale, Holly Wood se verse une tasse de thé. Puis elle va dans sa chambre pour remplir son sac de voyage.

Ce soir, elle ira dormir ailleurs. Car la perspective de passer une nuit de plus ici l'effraie. Elle a peur.

Depuis quelque temps, elle entend des pas dans l'escalier étroit qui mène à l'étage. Après, c'est la berceuse qui se met à se balancer toute seule. Une fois, elle a entendu de la musique. Elle est descendue au salon. Un disque jouait une chanson que Gaston aimait.

Mais elle ne voit jamais personne.

Elle qui a toujours estimé que les histoires de fantômes étaient des sottises pour bébés nerveux, elle commence à se demander si celui de Gaston ne s'est pas installé chez elle.

* * *

Dans son atelier, Rio-Pelle n'en croit pas ses yeux. Toutes les sculptures de sable qu'il a faites, représentant des doublons anciens, celles qui se vendent le mieux en plus, sont en miettes. Toutes les autres, celles de châteaux de sable, d'étoiles de mer et de loups-marins, sont intactes.

Il sort questionner le vieux Norm, qui passe sa journée assis devant sa maison à fabriquer des filets de pêche miniatures qu'il vend aux touristes.

— Si quelqu'un était entré chez toi, Rio-Pelle, je l'aurais vu, c'est certain. Il y a bien eu un coup de vent qui a ouvert la porte, mais je suis allé la refermer. J'ai jeté un oeil à l'intérieur, tout était beau.

Les sculptures étaient toutes sur les tablettes.

— Tu n'as pas bougé d'ici?

— Pas d'un quart de poil de morue.

— Les morues n'ont pas de poils, Norm.

— C'est bien pour te dire comment je n'ai pas bougé! Il n'y a qu'une seule explication possible… Un fantôme… Celui de Gaston.

— Des histoires de pêcheurs qui s'ennuient, c'est tout.

— Je te l'ai dit: je l'ai aperçu du côté de La Grave, l'autre soir. Il marchait sur le bord de l'eau. Et on voyait les bateaux à travers son corps! Aussi vrai que je m'appelle Norm. Une ombre, un revenant, un ectoplasme!

— Balivernes, sornettes, inventions! Moi aussi, je peux trouver des synonymes, lance Rio-Pelle en riant.

Il s'en retourne chez lui. Il y a quelqu'un qui lui joue de bien mauvais tours. Des mauvais tours. Car c'est la troisième fois qu'une telle chose se produit. Et si Norm avait raison?

* * *

Près de l'épave, en retrait, Manuel attend les inséparables. «Ce sont des débrouillards, ça se voit tout de suite. Il faut juste que Simon se laisse gagner. Il n'y a qu'à lui que Gaston aurait pu révéler son secret.»

Il ne faut pas longtemps pour que le petit groupe arrive jusqu'au bateau échoué. Il est penché sur le côté, imposant par sa taille immense, et sa structure est rouillée et dangereuse.

Évidemment, Jocelyne reste à terre. Simon grimpe jusqu'au pont. Agnès fait le tour du navire, s'enfonçant jusqu'aux genoux dans une eau pleine d'algues gluantes. John inspecte les alentours, un bout de plage herbeuse aux relents de poisson mort. Quant à Notdog, il suit la piste d'une carcasse pourrie qui cuit au soleil et qui promet de pures délices.

C'est au bout d'une ligne à pêche qui pend d'un hublot que Simon trouve le message. Il redescend du pont, triomphant.

— Je l'ai!

Vite, il déroule le papier.

L'heure est grave. Mais la mer le conserve.

Quelqu'un a-t-il vu Notdog ?

— Ça, c'est vraiment facile, dit Simon. John et Agnès ne sont pas de cet avis.

— Mais oui! *L'heure est grave* signifie certainement que le prochain indice est sur La Grave, une bande de terre où il y a des boutiques et des restaurants. Où? *Mais la mer le conserve.* Qu'est-ce qui conserve à La Grave? Le Musée de la mer!

— Ce rallye n'est pas fait pour les touristes, dit Agnès. On ne peut pas comprendre les indices si on ne connaît pas la place.

Jocelyne les rejoint enfin. Simon lui tend le message.

— Regarde!

Elle le lit.

— C'est loin? Parce que, moi, je commence à avoir sérieusement mal sous les bras. Même s'il y a des coussins sur ces béquilles-là, je sens que mes épaules vont remonter de quinze centimètres!

Simon l'assure que non. Elle appelle son chien. Mais Notdog ne se montre pas le bout du nez.

— Il doit être en train de courir après une bibite rare. Il y a des scorpions, ici? demande Jocelyne.

— Autant que de lions dans ton village, répond Simon.

De son coin à l'ombre, Manuel les observe. Il se contentera de suivre Simon. Soudain, il se retourne vivement. Quelqu'un lui a tiré la tresse.

Pourtant, il n'y a personne derrière lui. Ces derniers temps, cela lui est arrivé souvent d'avoir l'impression qu'on lui tirait les cheveux. «Tic nerveux», pense-t-il. Mais ses outils qui disparaissent un à un, il sait bien qu'il ne se les vole pas lui-même…

John, Agnès, Jocelyne et Simon prennent le chemin de La Grave, alors qu'au loin une dizaine de participants se pointent. John rassure Jocelyne:

— Tu connais ton chien, Jo. Dans cinq minutes, on va le voir arriver en courant. Il explose, c'est tout.

— Explore, John, pas explose, le reprend Agnès. C'est vrai, Jocelyne. Ne t'inquiète pas.

Mais Notdog ne revient pas.

Chapitre VI
La brûlure
de la méduse

«Ça m'apprendra à entrer dans n'importe quelle grotte que je ne connais pas», pense Notdog.

Il se frotte le bout du museau avec la patte. Il l'enfouit dans le sable. Pendant une minute, la brûlure cesse. Mais vite ça recommence.

«Ça a l'air tellement nono, ces paquets de gélatine-là! C'est transparent, ça flotte, ça ne va nulle part. À la maison, Jocelyne me donne toujours quelques cuillerées de son jello. Je l'avale tout rond. Le but du jeu, c'est de manger, pas de goûter.

«Sauf qu'aujourd'hui ce n'est pas la même sorte de jello que d'habitude. J'aurais dû me méfier, aussi, des longs filaments qui traînaient en dessous. Ça brûle en titi.»

Il enfonce de nouveau son museau dans le sable et, cette fois-ci, reste dans cette position longtemps. Il sait que Jocelyne sera fâchée de ne pas le voir revenir. Mais il doit guérir cette brûlure.

Une demi-heure plus tard, il sort de la grotte, en se jurant de ne pas remettre les pattes ici.

Il marche un bon bout de temps sans rencontrer âme qui vive. Il s'est vraiment aventuré dans un coin éloigné et perdu. Mais il restait quelques morceaux de chair sur cette carcasse de phoque mort et cela en valait la peine.

Il constate que les inséparables ont quitté l'épave et il accélère le pas. Il retournera à la grande maison bleue. Il sait qu'il retrouvera son chemin sans effort: il n'a pas le plus long museau de tous les chiens qu'il connaît pour rien.

Il redresse la tête, tout fier, en pensant à ses talents de limier. Il voit venir vers lui une petite famille qu'il a bien l'intention d'aller saluer en battant de la queue.

Il s'approche du père, qu'il considère toujours comme le chef de la meute. D'habitude, quand il affiche son plus beau regard humide et son fameux sourire qui lui découvre de belles dents bien blanches, les gens s'arrêtent et s'exclament: «Oh! Le gentil chien!»

Ils ne disent jamais le «joli» chien, mais, pour Notdog, cela importe peu.

Étonnamment, l'homme passe à côté de Notdog en regardant ailleurs. La femme et les deux enfants aussi.

«Étrange. Ça arrive avec les adultes parfois. Mais ça ne rate jamais avec les enfants. Ils me font TOUJOURS une caresse.»

Médusé, Notdog poursuit sa route.

Il rencontre un couple. «Ah! Là, c'est sûr que je vais me faire flatter un peu.»

Encore une fois, les humains passent, indifférents.

«Qu'est-ce que j'ai? Est-ce que je sens mauvais ou quoi?»

Il continue son chemin, déçu qu'on fasse semblant de ne pas le voir.

«Les gens des Îles n'aiment pas les chiens», pense-t-il.

Chapitre VII
Le trésor du capitaine Gaston

Au Musée de la mer, les inséparables se cognent contre des portes closes. On vient tout juste de fermer jusqu'au lendemain.

Devant, une hélice gigantesque est montée sur un bloc de béton. John et Simon y grimpent et s'assoient sur une des pales. Jocelyne se laisse glisser par terre en soupirant. Agnès, qui n'a pas envie de rester immobile, essaye de marcher avec les béquilles de Jocelyne.

— Où peuvent bien être les messages? demande Simon.

— Où peut bien être mon chien? fait Jocelyne, en écho.

— Et où peut bien être le trésor de Gaston? lance une voix derrière eux.

Simon n'a même pas à se retourner pour savoir à qui elle appartient.

— Salut, Manuel. Tu nous suis?

— Non, je passais par hasard. Mais je vois que vous avez devancé tout le monde. Vous savez qu'il y a un indice ici.

— Et, bien sûr, tu ne nous diras pas où il est.

— Bien sûr. Sauf que vous n'avez pas à attendre l'ouverture du musée, demain. Salut!

Manuel s'éloigne. Sa longue tresse se balance dans son dos.

— Pourquoi a-t-il demandé où était le trésor? Il le sait bien, non? se souvient Agnès.

— Il ne parle pas du faux trésor du rallye. Il parle du vrai, répond Simon.

— Qu'est-ce que tu racontes? s'étonnent les inséparables. Qu'est-ce que c'est que cette histoire-là?

— Je vais vous expliquer. Manuel croit qu'il existe un vrai trésor. Il y a un an, en pleine tempête, au milieu de la nuit, le bateau de mon oncle Gaston a fait naufrage. Il était seul à bord, encore une fois.

Quelqu'un a-t-il vu Notdog ?

«Il a sauté à l'eau à la dernière minute. Il ne savait plus où il était, sauf qu'il dérivait très loin, au large. Il ne sait pas combien de temps il a flotté sur l'eau. Il a pensé qu'il mourrait, noyé ou gelé dans cette mer glaciale.

«On a retrouvé Gaston étendu sur la plage, à demi inconscient, dans sa ceinture de sauvetage.»

— Mais quel rapport avec un trésor ? demande John.

— Gaston vivait sur son bateau et y gardait toutes ses possessions. Lentement, la rumeur qu'il y cachait aussi un trésor a commencé à courir. Les histoires s'écrivent vite dans les petites places. Et il y a toujours des légendes de trésors qui entourent les vieux loups de mer disparus.

«Le plus curieux, c'est que Gaston n'a jamais confirmé la légende, mais ne l'a jamais démentie non plus.

«Avec le temps, le trésor a grossi dans la tête des gens. Certains, comme Manuel, sont persuadés qu'il existe. Depuis la disparition de mon oncle, il s'est mis à sa recherche.»

Tout au long de l'histoire, Agnès a observé Simon raconter. Pour elle, quelque

Quelqu'un a-t-il vu Notdog ?

chose cloche. Ce n'est pas dans le con-
tenu, non. Plutôt dans la manière de parler
de Simon. Aucune émotion, pas de tristesse. Jamais il ne baisse les yeux, s'essuie le nez ou regarde au loin dans ses
souvenirs. C'est son oncle. Ou il ne l'aimait pas, ou il n'a pas tout dit.

Elle en est là dans ses réflexions quand
John s'écrie:

— Je l'ai!

En passant sa main sous la pale de l'hélice où il est assis pour en toucher l'usure,
il a trouvé un papier qu'on y avait collé. Il
le déplie:

*Aimez-vous les oeufs à la coque? À
partir de huit heures, demain matin, vous
les trouverez, à condition d'aimer le
porc.*

— Enfin, une facile! lance John.

Ses amis le regardent, un point d'inter-
rogation dans les yeux.

— La coque, c'est une partie d'un bateau. Le porc, c'est l'endroit où station-
nent les bateaux. J'imagine qu'on trouvera
des oeufs sur la coque d'un navire dans le
porc.

— Tu as mélangé porc et port, rit Agnès. Pour une fois, tes erreurs nous servent. Ton interprétation est pleine de bon sens. Quelqu'un en a une meilleure?

Non. Personne n'en a de meilleure.

Les inséparables reprennent alors le chemin de la maison bleue. Jocelyne espère que son chien y est déjà. À l'attendre.

Il y est. Mais elle ne le verra pas.

Chapitre VIII
Un froid de canard et un mal de chien

À une table en retrait, dans un petit restaurant donnant sur la plage, trois personnes mangent en discutant.

— Je suis certain que Simon sait, dit Manuel en ouvrant ses moules à la crème.

— C'est peut-être lui qui vient briser mes sculptures. Il est assez petit pour réussir à passer inaperçu. Si je l'attrape…

Rio-Pelle ne finit pas sa phrase, et engloutit quelques frites mayonnaise.

— Ça ne peut pas être lui qui s'introduit chez moi la nuit, en tout cas. C'est le fantôme de Gaston, j'en suis sûre.

Tremblante, Holly Wood coupe en quatre un pétoncle déjà minuscule.

— Arrête, avec tes niaiseries, Holly! Il y a sûrement une explication logique, la rabroue Manuel. Rien ne prouve que Gaston soit mort.

— Et où se cacherait-il? demande Holly. C'est petit, les Îles. Depuis le temps, quelqu'un quelque part l'aurait vu, il me semble. On voit que toutes ces manifestations ne se produisent pas chez toi. Tu serais moins catégorique. Gaston n'est peut-être pas enterré, mais il est bel et bien mort.

Un doute surgit dans la tête de Rio-Pelle:

— Il y a du vandalisme inexpliqué chez moi, des fantômes jusqu'à preuve du contraire, chez Holly et rien chez Manuel. Tu ne trouves pas ça bizarre, Holly?

Manuel, qui n'a jamais mentionné ni sa tresse tirée ni ses outils volatilisés, s'insurge:

— Qu'est-ce que tu vas insinuer là? Que, moi, j'essaierais de vous faire peur? Allons donc. Ça me donnerait quoi?

Holly poursuit l'idée de Rio-Pelle:

— Garder le trésor pour toi tout seul...

— Et me faire dénoncer par vous? Allons! On est là-dedans ensemble, insiste Manuel. Nous sommes les seuls à avoir vu ce que Gaston avait trouvé. Et ça n'a pas coulé avec le bateau, on avait déjà cherché. Gaston l'a caché ailleurs. On a fouillé la maison bleue de fond en comble, sans résultat. C'est sur l'île, quelque part.

Manuel appelle le serveur pour qu'il débarrasse et continue:

— Soyez patients. C'est Simon qui nous conduira à ce qu'on cherche. Gaston disait tout à son neveu.

Un vent froid se lève. Manuel ferme la fenêtre près de laquelle ils sont assis. Il reprend sa place:

— C'est une sacrée bonne idée, ce rallye. S'il sait où est le trésor, Simon ne pourra pas résister à l'envie de se rendre à sa cachette. Ne serait-ce que pour vérifier s'il s'y trouve toujours.

Holly n'est pas de cet avis:

— Ton analyse est complètement et totalement hypothétique. Je suis certaine qu'on a tout organisé pour rien.

Manuel se tait, sourit et pense: «Si Gaston n'est pas mort, il ne pourra pas résister à la tentation de jouer et de mener son neveu vers le vrai trésor. Ou vers lui. Je te trouverai bien un jour, Gaston.» Mais il garde cette réflexion pour lui. Puis:

Quelqu'un a-t-il vu Notdog ?

— On verra. On ne pouvait tout de même pas le suivre nuit et jour. Ça prenait un événement qui lui donne peut-être envie d'aller vers le trésor.

— Je suis persuadé qu'il ne sait rien, moi aussi, lance Rio-Pelle. Il est un peu bête, je pense. Quand on lui parle de son oncle, il ne réagit jamais, pas de commentaires, rien.

— Justement, ricane Manuel. Simon m'a déçu aujourd'hui. Car il n'a pas trouvé l'indice au Musée de la mer.

* * *

Dans la grande maison bleue, tout le monde est inquiet. Bien sûr, les policiers sont confiants. Après que Jocelyne leur eut dessiné à peu près fidèlement le portrait de Notdog, ils l'ont assurée qu'il serait très facile à repérer. «Il ne peut pas être bien loin et il n'y en a pas un sur l'île qui lui, euh, ressemble.»

— Tu parles de belles vacances! Je suis malade en bateau, je me foule une cheville et mon chien disparaît. Je veux rentrer chez moi, pleurniche-t-elle avec raison.

— On ne peut pas repartir tant qu'on n'a pas retrouvé Notdog, lui dit doucement Agnès.

Au même moment, dehors, sous la galerie, Notdog pleurniche aussi.

«Comment a-t-elle pu me faire ça? À moi, son fidèle chien. Ce n'est pas la première fois que je fais une petite promenade solitaire! Elle sait bien que je reviens toujours.

«Bon, je suis parti un peu plus longtemps que d'habitude; ce n'est pas tous les jours qu'on a la chance de manger du phoque!

«Elle est peut-être fâchée, mais de là à faire semblant de ne pas me voir, je trouve la punition un peu exagérée. Ils se sont tous passé le mot, en plus. J'ai eu beau courir autour d'eux, me rouler par terre, sauter partout, rien. Comme si je n'étais pas là.»

Il se demande si la punition a assez duré. S'il va oser approcher sa maîtresse qui l'a rejeté. Car, en bon chien, il attend que ce soit elle qui l'appelle.

Et puis non. Il tente le tout pour le tout.

Il sort de sa cachette, monte l'escalier, gratte à la porte.

«Notdog!» entend-il crier de l'intérieur. Il est content. Sa maîtresse est heureuse de le retrouver.

Jocelyne est venue elle-même ouvrir la porte. Notdog la regarde, espère sa caresse. Rien.

— J'avais cru l'entendre, dit-elle, triste.

Avant que la porte se referme sur lui, Notdog bondit à l'intérieur. «Ce n'est pas normal, vraiment pas normal.»

Il passe devant le grand miroir de l'entrée. «Tiens, le chien laid qui vit là-dedans et me regarde quand je passe n'est pas là.»

Malgré l'indifférence de sa maîtresse qu'il croit toujours fâchée contre lui, il la suit pas à pas le reste de la soirée. Il se donne un mal de chien pour attirer son attention, sans succès.

Pourtant, souvent, Jocelyne s'arrête, écoute. Avec l'impression que Notdog est là.

Elle monte à l'étage, se brosse les dents, met son pyjama. Elle s'installe dans son lit. Et, comme d'habitude, Notdog saute à ses pieds.

Elle l'a bien senti. Elle sursaute, s'assoit, tâte nerveusement les couvertures.

— Je suis folle ou quoi? Notdog? Où es-tu?

Elle entend son souffle, son halètement, un petit gémissement.

— Parle, Notdog, parle!

Il obéit et aboie un coup.

John et Agnès entendent et rappliquent en vitesse dans la chambre. Jocelyne caresse du vide dans son lit.

— Vous n'allez pas me croire, mais Notdog est ici. Et il est devenu invisible.

* * *

Pendant ce temps, dans le port, quelqu'un voit à ce que *La vague à l'âme* soit en parfait état de marche.

Chapitre IX
Dans les vagues, on voit vaguement
La vague

Ce matin-là, les parents d'Agnès sont très étonnés du comportement de Jocelyne. Elle qui, hier, voulait retourner chez elle en pleine nuit est d'humeur radieuse. Elle marche bizarrement, et pas seulement à cause des béquilles. Elle fait très attention, comme si elle avait peur de marcher sur quelque chose.

Elle prépare un plat pour Notdog, «au cas où il reviendrait, c'est si gentil», pense la mère d'Agnès. «Il va réapparaître aujourd'hui, j'en suis sûre», se dit-elle.

Toute à ses pensées et occupée à se chercher un endroit où s'étendre au soleil à l'abri du vent froid, elle ne remarquera pas que le plat du chien s'est vidé.

— On s'en va poursuivre notre rallye! lance Agnès à sa mère.

Et les voilà dehors.

— Est-ce qu'on met Simon dans le secours?

— Dans le secret, John, pas dans le secours, le reprend Agnès. Mais, encore une fois, tu as choisi un bon mot. Simon pourrait sûrement nous être d'un grand secours.

En marchant vers le port, Jocelyne répète tout le temps: «Viens, Notdog!» pour s'assurer qu'il la suive.

Le ciel est nuageux, la mer agitée. Au quai, les bateaux se balancent au rythme des vagues. L'endroit est désert. Près de *La vague à l'âme*, les inséparables repèrent la silhouette de Simon.

Il écoute Jocelyne raconter ce qui est arrivé à son chien. Et il doit l'admettre: on l'entend et, en plus, règne autour d'eux une forte odeur de chien mouillé.

— On a retourné la question dans tous les sens, continue Jocelyne. C'est peut-être quelque chose qu'il a mangé.

Agnès enchaîne:

— Ou bien il est passé dans un nuage qui rend invisible. Ou il a rencontré Merlin en personne.

Simon considère le problème:

— Ce n'est pas le vétérinaire qu'il faut voir pour ça. Laissez-moi y penser. Mais regardez ceci.

Simon montre trois taches blanches et ovales sur la coque du bateau du capitaine Gaston.

— Elles sont fraîchement peintes. Ça correspond à l'indice, dit-il en le tendant à John. Et c'est le bateau de mon oncle. Venez.

Simon saute dans le navire et y invite les inséparables. Même si elle n'en est pas tout à fait sûre, Jocelyne croit que Notdog les a suivis. Ils s'installent sur les bancs.

— Simon, j'aimerais mieux essayer de résoudre le problème de mon chien que de continuer ce rallye.

Plus loin, John lit et relit l'indice en pensant: «C'est bizarre...» La voix d'Agnès lui parvient comme dans un rêve:

— Et toi, John, tu veux poursuivre le rallye?

— Avez-vous remarqué que le dernier indice est différent des autres? Ce n'est pas la même écriture.

Simon regarde:

— C'est vrai. On dirait…

Mais il se tait rapidement. Agnès perçoit l'hésitation du garçon:

— Tu reconnais l'écriture?

— C'est que…

— Simon, tu nous caches quelque chose.

Soudain, Jocelyne s'écrie:

— Hé! On s'en va!

En effet, on a détaché les amarres et le bateau s'éloigne tout doucement du quai. Le moteur démarre. Les inséparables ont beau s'agiter en tous sens, ils ne pourront

empêcher *La vague à l'âme* de quitter rapidement le port.

Non loin de là, Manuel sort d'un dépanneur où il était venu s'acheter du pain. «La mer est grosse, les bateaux vont rester à quai aujourd'hui», pense-t-il en regardant les flots agités. C'est alors qu'il voit le bateau du capitaine Gaston longer la plage de Sandy Hook en disparaissant parfois derrière les vagues. Il détale.

Le bateau pique dans les vagues. John, Agnès, Jocelyne et Simon s'agrippent à des bancs, des poteaux, des poignées fixées dans la cabine de pilotage. Le gouvernail gouverne tout seul.

Dans le bruit assourdissant du moteur, Simon crie à ses amis de ne pas avoir peur. Bientôt, *La vague à l'âme* s'engage dans une petite anse, puis s'approche d'une caverne creusée dans la terre rouge. Le moteur s'éteint. Le canot pneumatique de secours se retrouve à l'eau.

— Montez, dit Simon.

— J'espère que tu auras une bonne explication à nous donner, lance John en s'installant dans le canot, suivi de ses amies.

Quelqu'un a-t-il vu Notdog ?

Aveuglément, Jocelyne appelle son chien. Mais Notdog est resté derrière. Voyant le canot s'éloigner, il prend son courage à quatre pattes et plonge dans l'eau glacée. Il sera le premier à apercevoir la méduse.

Chapitre X

Le plus gros poisson n'est pas nécessairement au bout de l'hameçon

Le canot accoste. Et là, tout près d'eux, dans un enclos de mer fermé par un immense filet, une méduse dorée bouge lentement au rythme des pulsations de son corps translucide.

— Ne l'approchez pas, ordonne une voix qui semble provenir de nulle part.

C'est d'abord une ombre. Puis un contour qui se dessine. Une image prend forme, laissant apparaître un mur de sable au travers.

— Un fan… fan… tôme, balbutie John.

— N'ayez pas peur, dit Simon.

L'image se précise peu à peu. Enfin, pareil à la photo sur le mur de la maison bleue, le capitaine Gaston apparaît avec sa casquette, son imperméable et son sourire.

— Je suis en chair et en os! Je ne suis pas un fantôme! Capitaine Gaston, pour vous servir.

Simon court se jeter dans les bras de son oncle. Sauf que les retrouvailles sont loin des effusions que provoquent les longues séparations. Agnès repense à son impression d'étrangeté quand elle s'est aperçue que Simon n'avait pas l'air malheureux de la disparition de son oncle.

— Tu savais, n'est-ce pas, Simon?

— Oui. Mais j'avais promis de ne rien dire.

— Je ne pouvais tout de même pas faire de la peine à mon neveu! C'est d'ailleurs le seul avec qui j'ai partagé mon secret. Et il a tenu sa promesse: c'est rare. Pourtant, je ne t'ai pas révélé tous mes secrets… Venez, les matelots, que je vous raconte.

Gaston s'approche de l'enclos:

— Il y a trois mois, j'ai pêché cette méduse étrange. En essayant de la décrocher

Quelqu'un a-t-il vu Notdog?

de mon hameçon, je m'y suis brûlé. J'ai laissé la ligne à l'eau avec la méduse toujours accrochée et j'ai essayé de calmer la brûlure.

«Quelques minutes plus tard, je ne voyais plus mes mains. J'ai mis du temps à comprendre ce qui m'arrivait. Je disparaissais peu à peu pour finalement devenir complètement invisible. Au début, j'étais affolé. Puis, soudain, je suis réapparu.

«J'ai voulu vérifier ce que je soupçonnais, soit que la méduse était la cause de ce phénomène étrange. J'y ai retouché. J'ai disparu à nouveau. Quand j'ai réalisé que je pouvais apparaître et disparaître à ma guise, j'ai décidé d'en profiter un peu. Bien sûr, il faut la brûlure, mais ce n'est qu'un petit désagrément.»

— C'est donc elle. Tu aurais dû me le dire, désapprouve Simon.

Il se tourne vers les inséparables.

— Ça, c'est la partie de l'histoire que j'ignorais. Lorsque Gaston est venu me voir, en cachette, pour me confier qu'il n'était pas mort mais invisible, il n'a jamais voulu me révéler son truc.

— Ce n'est pas que je n'avais pas confiance, mais j'ai préféré garder pour moi certains détails. On ne sait jamais. On s'est bien amusés tous les deux, non?

— J'aurais aimé devenir invisible, moi aussi. Est-ce qu'on peut essayer?

— Ta mère ne me le pardonnerait pas! Mais elle n'est pas là… Je vous avertis, ça brûle!

— Tout le monde croit avoir vu votre fantôme. Ça ne vous dérange pas de faire peur aux gens? lance Agnès sur un ton de reproche.

— Oh, il ne se passe pas grand-chose, ici. Ça les a bien désennuyés, cette histoire. Et je n'ai fait de mal à personne. Bien sûr, j'en ai profité pour en empêcher quelques-uns de dormir… Mais j'ai joué au fantôme assez longtemps. J'ai hâte de retrouver ma maison. J'y allais quand même, me faire à manger, me laver. Vous n'avez rien remarqué.

— C'était vous, les odeurs de bacon, déduit John.

— Oui. Cela dit, je ne vous mets pas dehors. Je resterai sur mon bateau jusqu'à votre départ. Une blague, il faut bien que ça cesse un jour.

— C'est vrai, cette histoire de trésor? demande Jocelyne.

— Absolument! Des pièces d'or très anciennes, espagnoles, que j'ai trouvées dans l'eau près de l'Île-d'Entrée. Elles sont ici, je vais vous les montrer.

D'une ouverture dans la paroi sablonneuse, il sort un sac qu'il ouvre. Des pièces d'or brillent devant eux.

— Je n'ai jamais cru qu'elles avaient coulé avec ton bateau comme tu as voulu nous le faire croire. Et c'est aujourd'hui qu'on règle ça, hein Gaston?

La voix est celle de Manuel, dont le kayak a glissé sans bruit vers ce coin de grotte accessible uniquement à marée basse. Il accoste, s'extirpe de son embarcation.

— Tu perds ton temps, Manuel! Les pièces d'or iront au Musée de la mer. Pas à toi, ni à Holly, ni à Rio-Pelle.

— Je suis d'accord pour laisser Holly et Rio-Pelle en dehors de tout ça, même s'ils étaient là quand on les a trouvées. Ce n'est pas bien d'avoir voulu tout garder pour toi tout seul, oh non!

Le capitaine Gaston est gêné. Il n'ose pas regarder son neveu en face.

— C'est vrai ce que dit Manuel? demande Simon, atterré.

La réponse vient de Manuel:

— Juré, craché. On a trouvé ces pièces ensemble, avec Rio-Pelle et Holly, un soir où nous étions allés à la pêche. On avait décidé de ne rien dire et de partager. Avec ça, j'aurais pu arrêter de faire mille métiers. Holly serait partie tenter sa chance en ville. Et Gaston, qu'est-ce que tu disais, donc?

— Que, euh, je… j'irais m'installer dans les Caraïbes…

Gaston se reprend, s'adresse à Simon:

— Au début, oui, j'y ai pensé; un trésor, après tout, c'est tentant. C'est vrai que j'ai voulu le garder pour moi tout seul. Mais j'ai réfléchi depuis. Je crois qu'il appartient à tous les habitants des Îles. Et puis qu'est-ce que j'irais faire dans les Caraïbes sans mon neveu? On s'amuse bien ici, finalement.

Manuel pointe tout à coup vers Gaston un argument très persuasif.

— Désolé. Donne.

Effrayé devant le danger pour les enfants, le capitaine n'hésite pas une seconde. Il tend le sac à Manuel.

— Avec, en prime, cette méduse qui rend invisible, ma foi, je vais quitter l'île ni vu ni connu. J'en tirerai un jour une véritable fortune.

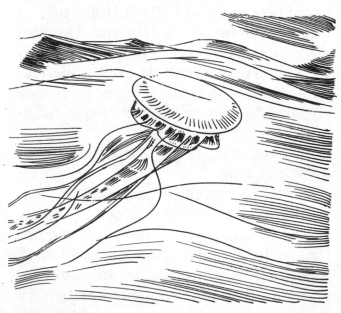

De sa main libre, il accroche le filet à son kayak. Et c'est juste avant de s'installer dedans qu'il pousse un hurlement de douleur. Il se penche, agrippe sa jambe. Gaston s'élance et saisit l'arme de Manuel. C'est alors qu'apparaît, tout d'abord très floue, puis de plus en plus précise, la forme de Notdog, dont les crocs enserrent le mollet de Manuel.

Dans l'agitation générale, personne ne remarque que le filet mal attaché se dénoue et que la méduse dorée s'éloigne gracieusement vers le large.

Chapitre XI

Un capitaine au long cours et un chien au long nez

Le lendemain, le soleil est au rendez-vous, sans le vent. À dix heures du matin, les habitants se plaignent déjà de la chaleur.

Sur le bateau du capitaine Gaston, une foule dense assiste aux entrevues que le marin, les inséparables et Simon donnent aux journaux, à la radio et à la télévision.

Légende après sa disparition, Gaston l'est encore plus maintenant qu'il a été homme invisible.

C'est d'ailleurs à lui qu'on a confié l'honneur de donner le prix au vrai gagnant

Quelqu'un a-t-il vu Notdog ?

du rallye, que quelques participants réso-
lus ont terminé.

C'est un gars de quinze ans qui a trouvé
le faux trésor, une cassette remplie de
pierres précieuses en sable. Sa photo et
ses paroles seront consignées dans le journal: «C'est niaiseux, les cerfs-volants.
Mais je vais le prendre pareil.»

Dans la cellule de la prison locale, Manuel est à réfléchir à sa manière de faire
peur aux gens. Son fusil était un jouet, sauf
qu'il ressemblait à s'y méprendre à un vrai.

Quant à Holly et Rio-Pelle, ils assistent,
silencieux et de mauvaise humeur, à la fin
de la conférence de presse, alors que le
capitaine Gaston remet les pièces d'or anciennes au Musée de la mer. Ils préfèrent
évidemment qu'on ne parle pas d'eux.

Holly retourne chez elle, sachant qu'au-
cun fantôme ne l'importunera plus. Rio-
Pelle se contentera de faire des sous avec
ceux qu'il fabrique en sable et que personne ne viendra plus briser.

— Je me disais que si mon fantôme
leur faisait assez peur, ils abandonneraient
l'idée du trésor. Ça n'a pas marché, a
expliqué Gaston en secret à John, Agnès,
Jocelyne et Simon.

Une fois les journalistes et les curieux repartis, il leur propose une partie de pêche dans l'après-midi.

— Et tous les jours, jusqu'à la fin des vacances! suggère Simon.

— À votre service!

Puis, Gaston soupire.

— C'est vraiment dommage pour la méduse. La seule preuve de mon histoire disparue au large. Un spécimen unique, sûrement.

C'est Jocelyne qui y pense la première:

— Mais non! Il y en a une autre! Celle qui a rendu Notdog invisible!

— Mais oui! enchaîne Agnès. Il a disparu quand on cherchait un indice près de l'épave.

— Allons-y! Elle est peut-être encore cachée dans la même botte! lance John.

— Grotte, John, le reprend Simon en riant.

Un, deux, trois, *go*! C'est en un temps record, y compris pour une fille en béquilles, qu'ils se rendent à l'épave. Mais ils auront beau essayer de convaincre Notdog de les amener là où il a subi cette brûlure, il n'obéira jamais.

«Un fou!» pense-t-il.

Quelqu'un a-t-il vu Notdog ?

Sylvie Desrosiers

AIMEZ-VOUS LA MUSIQUE?

Illustrations
de Daniel Sylvestre

la courte échelle

Chapitre I

Savez-vous planter du maïs, à la mode, à la mode, savez-vous planter du maïs, à la mode de chez nous

Assis à sa table de cuisine, le fermier Norm Plante est penché sur le tracé de son futur labyrinthe. «Il doit être encore plus difficile d'en sortir que l'année dernière», pense-t-il.

Car ce labyrinthe est l'une des attractions majeures de la fin de l'été dans ce charmant village des Cantons de l'Est.

«Voyons, de combien de maïs aurai-je besoin?» se demande-t-il. Car c'est dans un champ de maïs que grands et petits iront se perdre.

«Et puis tant pis, cette année, je plante sur les terres de Léon! Des fantômes, je n'en ai jamais vu», se dit-il. Tant pis, car Norm Plante n'a pas osé planter quoi que ce soit dans l'ancienne ferme ravagée par le feu il y a plusieurs années. Ce fut une triste page de l'histoire de ce village, puisque la jeune Élisabeth et son vieux chien Tom y ont péri.

«La terre est riche, le maïs poussera comme de la mauvaise herbe et il sera géant», croit le fermier. Il avait raison. Trois mois plus tard, le labyrinthe n'avait jamais été si haut et il n'attendait plus que les visiteurs.

Au même moment, non loin de là, Not-dog, le chien le plus laid du village, est en proie à la panique. Dans une cage de métal froid qui sent fortement l'urine, il essaie de se débarrasser de ce nouveau collier affreusement paralysant. Il geint: «Oh, Jocelyne, ma maîtresse adorée, pour-quoi, pourquoi, pourquoi m'as-tu aban-donné?»

Chapitre II
Du maïs
sur la planche

Outre le labyrinthe de maïs, la fin du mois d'août apporte avec elle trois événements de la plus haute importance au village: un peu de fraîcheur après la canicule, la rentrée scolaire et la mégavente de garage des citoyens.

Bien sûr, la rentrée scolaire est loin d'être populaire auprès des enfants. Par contre, la vente de garage les fascine toujours.

Justement, cette année, les élus municipaux ont décidé de donner plus d'ampleur et de sérieux à ce qui est, dans la réalité, un gigantesque ménage de sous-sols. La responsable de la culture, Mme Bédard, propriétaire de la boutique de cadeaux

Baie d'Art, a eu l'idée de jumeler la vente avec une grande exposition.

L'aréna du village deviendra donc pour l'occasion galerie-garage, ce qui a inspiré Mme Bédard pour un slogan accrocheur: ICI, ON EST GAGA. À côté des vieilles casseroles, des patins rouillés, des casse-tête auxquels il manque une pièce, on pourra admirer la surprenante créativité artistique de la population.

Pas très loin de l'aréna, à l'extrémité nord de la rue Principale, se trouve un vieux *stand* à patates frites, anciennement propriété de Steve La Patate. Il est maintenant occupé par une agence de détectives, l'agence Notdog, du nom de sa mascotte, le chien le plus laid du village.

L'agence est tenue par un trio d'amis âgés de douze ans, surnommés «les inséparables». À l'intérieur, deux des trois détectives s'activent à trier ce qu'ils pourraient bien vendre à l'aréna.

John, l'Anglais blond à lunettes, décroche une affiche de cheval:

— Je l'ai assez vu, lui. Puis il est tout déchiré dans les coins où j'ai mis les polonaises.

Agnès, la petite rousse qui porte des

broches*, arrête un instant son inspection des crayons:

— Les punaises, John, pas les polonaises! le reprend-elle comme elle le fait chaque fois que le garçon se trompe en français, ce qui arrive souvent.

— Les punaises, ce ne sont pas les insectes qui piquent dans les lits?

— Oui, et aussi des jetons pour jouer à des jeux de société. Et ma mère dit qu'elle se fait du sang de punaise si je suis en retard de cinq minutes à la maison.

— C'est ça qu'ont les chiens, non?

— Non, ce sont des puces. Ah! parlant de chien.

La porte s'ouvre en effet sur Jocelyne, le dernier membre du trio, une jolie brune. Un corps jaune aux poils rêches la suit. On ne peut voir sa tête qui est cachée dans une sorte d'entonnoir en plastique blanc. Mais bien sûr, on sait de qui il s'agit: Notdog.

Le chien est accueilli par de grands éclats de rire.

— C'est quoi, ça? demande Agnès.

— C'est un collier élisabéthain, répond Jocelyne.

---

* Appareil orthodontique.

La tête basse, Notdog va s'écraser dans un coin, non sans mal car il accroche son collier partout. «Ils rient! Pas de respect pour les chiens blessés! J'aimerais les voir dans ma peau juste une heure! Ils riraient moins fort.»

— Il me boude depuis que je suis allée le chercher, explique Jocelyne. Un chien, ça ne comprend pas que c'est pour son bien.

«Mon bien? Je me fais attaquer par un renard qui manque de me déchirer en miettes. Et qu'est-ce qu'on fait pour me consoler? On me donne une piqûre! Et on m'enferme deux jours! Deux jours chez le bourreau des animaux. Dans une cage! C'est censé être mon bien, ça?»

— La vétérinaire dit qu'il doit garder le collier encore trois jours. Sinon, il va arracher ses points de suture.

— On pourrait peut-être le vendre, pouffe John. Croyez-vous que quelqu'un en voudrait?

Notdog lève la tête, insulté: «On parle de moi, là.»

— Couche, Notdog, couche, lui ordonne gentiment Jocelyne. Des fois, j'ai l'impression qu'il comprend plus que je pense.

— C'est seulement une impression, dit Agnès, sûre d'elle. Alors? La récolte?

Les inséparables ont cherché ce qu'ils pourraient bien vendre à l'aréna. Avec les sous, ils ont l'intention de redécorer leur local.

— Je suis prêt à me séparer de mes livres de bébé, annonce John.

— Tu ne les lis plus? le taquine Jocelyne.

— Oui, parfois. Ça me rappelle mon enfantement.

— Es-tu sorti du ventre de ta mère avec un livre? s'étonne Agnès.

— Non! Je parle de quand j'étais petit.

— Enfance, John, ça te rappelle ton enfance, pas ton enfantement, le reprend-elle.

Elle enchaîne:

— J'ai ramassé de vieux toutous, des vêtements trop serrés dont ma jeune soeur ne veut pas et un bricolage datant de la maternelle.

De son côté, Jocelyne a retrouvé un vieux baladeur avec des cassettes, quelques jouets usés et une pile de dessins qu'elle a faits de Notdog.

À ce moment-là, la porte s'ouvre en claquant. Le petit Dédé Lapointe entre en trombe, comme s'il était poursuivi.

— Dédé! Qu'est-ce qui se passe?

Le garçon regarde dehors, à gauche, à droite, puis ferme la porte.

— Je peux vous demander un service?

Avec précaution, il pose un sac sur la table. Le sac se met à bouger et on voit apparaître deux minuscules oreilles pointues, un nez rose et un corps noir et blanc.

— C'est le plus minuscule de la portée de ma chatte. Ma mère veut tous les donner, mais moi, je veux le garder.

Jocelyne prend le chaton pas plus long que sa main:

— Si ta maman ne veut pas, tu ne peux pas le garder. Il va sûrement atterrir dans une bonne maison.

Ce n'est pas l'avis de Dédé:

— On ne sait pas! Tout à coup que c'est un savant fou qui le choisit? Et qu'il fait des expériences sur lui? Je refuse qu'il parte! Je l'aime. Est-ce que je peux vous le laisser, le temps de convaincre ma mère? demande le pauvre garçon avec de grosses larmes au coin des yeux.

Agnès se penche vers lui:

Aimez-vous la musique ?

— D'accord, d'accord, on va le garder quelques jours, à la condition que tu viennes t'en occuper. On pourrait le confier à Notdog...

«On parle de moi, encore?» Notdog lève la tête paresseusement. Dédé caresse son chat qui ronronne et le dépose délicatement près du chien. Le futur fauve commence tout de suite à lui mordiller une patte. Digne, Notdog l'endure, empêtré qu'il est dans son collier, mais il se dit en soupirant: «Ce n'est vraiment pas ma journée.»

Sa journée ne faisait que commencer. Celle des inséparables aussi, qui ne s'attendaient pas à la visite-surprise de Norm Plante.

— Écoutez, il y a quelque chose de bizarre dans mon labyrinthe de maïs. Ce n'est ni minéral, ni végétal, ni animal.

— Qu'est-ce que ce pourrait être, alors?

— C'est justement ce que je suis venu vous demander de trouver.

Chapitre III
Bienvenue aux ramasseux, patenteux, barbouilleux

Sur le gazon, près de l'entrée de l'aréna, Bob Les Oreilles Bigras, un personnage bien connu au village, met la dernière main à sa sculpture monumentale. Pour l'empêcher de nuire et de penser à des mauvais coups, les élus ont eu l'idée d'occuper le motard local en lui proposant de réaliser une oeuvre.

Bob, à court de projets malfaisants ces temps-ci, s'est lancé dans l'aventure. Résultat: une sculpture gigantesque imaginée à partir de pièces de moto. Des pneus crevés et des tuyaux d'échappement s'entremêlent à des réservoirs d'essence décorés de flammes, à des rayons de roue et à des casques avec des têtes de mort. Le

tout est entouré de mouches attirées par le parfum de vieille graisse de Bob.

Agnès et Jocelyne arrivent près de lui.

— Tu t'es forcé, Bob! dit l'une.

— Tu es presque bon, renchérit l'autre.

Pour Bob, les inséparables sont les ennemis jurés qui viennent toujours faire échouer ses plans douteux. Les appréciations moqueuses des filles n'ont rien pour améliorer les choses.

— Tiens, les microbes. Mes vieilles amies… dalites!

Il éclate d'un gros rire gras en se tapant sur les cuisses.

Elles passent leur chemin en se disant que, franchement, l'art n'améliore pas la santé mentale du motard.

— On aurait dû aller au labyrinthe avec John, regrette Jocelyne.

— Oui, mais ma mère compte sur nous pour vendre ses vieilleries. Il n'avait rien à vendre, ton oncle?

— Ses vieilleries, il les vend déjà au dépanneur.

L'aréna est un vrai bric-à-brac où les tables s'alignent tant bien que mal. On trouve de tout: meubles, vêtements, outils, casseroles, lampes, cadres, tapis, jouets.

Côté artisanat, les napperons tissés, les arrangements floraux, les décorations de Noël sont légion.

La production artistique ne manque pas non plus, étalant les multiples talents locaux, peintres sur cuivre, photographes d'insectes, sculpteurs de pierre, de métal, de bois ou de tout à la fois.

Une armée de bénévoles a cuisiné pour les visiteurs des tartes, des muffins et toutes choses sucrées permises car elles sont faites maison.

Enfin, pour mettre de l'ambiance, on a engagé l'homme-orchestre du village, Mozart Tremblay. Mozart sait jouer de tous les instruments et le montre fièrement en transportant en même temps sa guitare, son harmonica, son accordéon et son triangle.

Agnès et Jocelyne s'installent avec leurs marchandises à une table qui leur a été assignée.

À côté d'elles, à droite, se trouve Madeleine Mouton, grand-mère et grande tricoteuse de tuques. Elle en a cent qui l'ont occupée tout l'hiver dernier. Elle a aussi vidé ses armoires de bouts de laine et patrons, et a déniché un vieux violon oublié dans sa boîte depuis vingt ans.

À gauche, Aimé Talbot dit «Métal», le plus célèbre sculpteur de la région, étale ses oeuvres. Avec ses biceps développés comme des ballons de plage, il travaille sans trop d'efforts les vieilles clôtures et les lits en fer pour en faire des... On ne sait pas quoi au juste, mais ça se vend.

De l'autre côté de l'allée, Dédé Lapointe et sa mère viennent d'arriver. Dédé la regarde déposer des jouets sur la table. Puis, dès qu'elle se retourne, il en prend un ou deux qu'il remet dans une boîte.

— Dédé ne veut pas que sa mère vende ses jouets, remarque Jocelyne.

— Il ne veut pas qu'elle vende quoi que ce soit! précise Agnès. J'espère que Notdog n'a pas mangé son petit chat.

Comment le pourrait-il? Le voudrait-il, le pauvre chien en serait bien empêché par son collier. «Gardien de bébé! Me voici rendu gardien de bébé chat! Quel déshonneur!» pense justement le chien le plus laid du village.

— Alors, votre trio est devenu un duo? demande Aimé Talbot, en train d'astiquer avec un chiffon ce qui ressemble à une trottinette à moineaux.

— John est censé nous rejoindre plus tard, répond Agnès. Il avait... euh... un détour à faire.

* * *

En effet, John faisait tout un détour. Pour être plus précis il est, en ce moment, complètement perdu dans le labyrinthe de Norm Plante.

«Voyons, par où suis-je passé? Il me semble que c'était par ici. Non. Plutôt par là. Allons vers la gauche. Impasse. Revenons sur nos pas. Bon. Ce couloir, tiens. Ah! une ouverture. Ce n'était pas si difficile. Maintenant. Par où?

«En tout cas, à part du maïs et des toiles d'araignées, je ne vois rien de bizarre ici. Avançons encore. Je sens que j'arrive à la sortie. Ah… non. OK. Concentrons-nous. Je reviens à la croisée de tantôt. Voilà. Il fallait prendre cette entrée-ci. Ça y est. Je suis dans la bonne direction. Encore? Mais c'est trop compliqué, cette année! Tout le monde va se perdre ici!»

Bien sûr, il pense en anglais. Ce qui explique qu'il ne fasse pas d'erreurs.

* * *

Pendant ce temps, à l'aréna, les acheteurs sont arrivés nombreux pour l'ouverture. Chacun espère trouver l'aubaine, le trésor ou n'importe quoi dont il n'a pas besoin, pourvu que ça ne coûte pas cher.

Aimé Talbot a vendu un de ses outils. Agnès, un bricolage fait à partir de rouleaux d'essuie-tout. Le baladeur de

Jocelyne s'est déjà envolé. Et il y a un attroupement devant la table de Mme Mouton.

Ses tuques disparaissent comme des petits pains chauds, vu la venue imminente de l'hiver, dans trois mois. Parmi les skieurs, les mères de famille et les frileux, on distingue deux personnes intéressées au vieux violon de Mme Mouton. La première est un monsieur aux gants blancs et la deuxième, une dame qui porte une broche en forme de violon.

— Oh! il n'est pas à vendre, explique la tricoteuse. Je l'ai exposé en décoration pour la table. C'est un souvenir de mon cousin qui était violoneux.

La déception se lit sur les deux visages. La dame tend une carte de visite à Madeleine Mouton, sur laquelle il est écrit: «S. Trad, luthière».

— Si jamais vous changez d'idée, j'aimerais vraiment l'acheter. On pourrait en discuter. J'aime restaurer les violons.

L'homme aux gants blancs s'immisce entre les deux:

— Si je peux me permettre. Je me présente: Nicolas Du Vernis, collectionneur. Ce violon m'intéresse, moi aussi.

Mais voici que s'interpose Mozart Tremblay:

— Si jamais ce violon est à vendre, c'est moi qui l'achète, hein, Madeleine?

— Il ne l'est pas. Point.

* * *

Dans le labyrinthe de maïs, John tourne encore en rond.

«Norm Plante a dû se perdre lui-même là-dedans! Ce qu'il y a de bizarre dans son labyrinthe, c'est son tracé.» Il décide d'appeler:

— Hé, ho! Il y a quelqu'un?

La réponse qu'il reçoit n'est pas celle à laquelle il s'attendait. Ce qu'il entend, c'est une chanson. Une voix féminine qui fredonne un air joli tout près de lui. Il regarde autour, ne voit personne.

298

— Il y a quelqu'un? lance-t-il, inquiet.

La chanson s'arrête.

— Où êtes-vous? demande-t-il, de plus en plus nerveux.

Les plants de maïs bruissent au passage d'un vent léger. On dirait un froufrou. Mais il n'y a toujours personne.

Chapitre IV
L'oreille de Notdog

— Je le savais qu'on aurait dû accompagner John! Ce n'est pas normal qu'il ne soit pas encore de retour, dit Jocelyne.

— Quelle heure est-il?

Cette question, Agnès l'a déjà posée dix fois depuis une demi-heure. Sa mère et sa petite soeur ont pris la relève à leur table jusqu'à la fermeture, à dix-neuf heures. Elle et Jocelyne partent à la recherche de leur ami. Elles vont d'abord à l'agence chercher Notdog, fin limier. Ce n'est pas parce qu'il a la tête dans un entonnoir que son odorat est en panne.

«Enfin on me confie une tâche à la hauteur de mes capacités! On ferme la garderie», pense Notdog, prêt à partir à la recherche de John. Mais il n'aura pas très loin à aller: à peine a-t-il déboulé les deux marches de l'agence à cause de son collier que le garçon arrive en courant, à bout de souffle.

— Norm a raison! Il y a quelque chose dans le labyrinthe! J'ai entendu un chant. J'ai senti une présence. Sauf qu'il n'y avait personne! Personne!

Le coeur de John bat à tout rompre, à cause de sa course, bien sûr, mais aussi de sa frayeur.

— Je vous jure que ce n'est pas mon imagination!

Normalement, sans son collier, Notdog aurait entendu les pas et le souffle discret de la personne qui s'est arrêtée tout près. Il aurait également repéré l'odeur caractéristique. Mais il avait la tête tournée dans la direction opposée.

— Qu'est-ce qu'on fait? demande Agnès à ses amis.

— On ira demain, suggère Jocelyne. À quatre, avec Notdog.

— J'ai eu tellement peur que je ne sais même pas où cela s'est passé dans le labyrinthe. Encore moins comment j'en suis

sorti! Il est extrêmement difficile cette année. Il faudra des pains de repère.

— Des points de repère, John.

Cette nuit-là, chacun des inséparables
rêve de fantômes. Exceptionnellement,
John dort avec sa lampe de chevet allu-
mée. Et Notdog s'endort avec un chaton
roulé en boule contre lui. «Bientôt, il va
m'appeler maman… Un chien ne peut pas
descendre plus bas…»

Le lendemain matin, le village était en
émoi. Mais le labyrinthe n'en était pas la
cause.

Chapitre V
Deux catastrophes valent mieux qu'une

«Violon de valeur volé à la vente!»

Voilà le titre en première page du *Journal du Quotidien* du village.

Dans les faits, personne ne connaît la réelle valeur de l'instrument. Il pourrait tout aussi bien n'être qu'un mauvais violon.

Mais comment Manon Crayon a-t-elle appris la nouvelle? C'est la question que pose Jocelyne à son oncle en mangeant ses céréales.

— Hé! les journalistes sont souvent mieux informés que les policiers! lui explique Édouard Duchesne.

En tant que dépanneur fournisseur de journaux, il est bien entendu le premier à les lire quand il les reçoit.

— Quels sont vos plans aujourd'hui? demande-t-il à sa nièce. La vente à l'aréna, je suppose?

— Oui, mais ce matin, on va faire un tour du côté du labyrinthe.

— Norm m'a dit qu'il est fameux cette année.

«Tu n'as pas idée à quel point!» pense Jocelyne.

Les trois inséparables se sont donné rendez-vous à l'agence. Les voilà maintenant en route pour le champ de maïs, accompagnés de Notdog.

— Il y avait beaucoup de monde qui s'intéressait à ce violon, hier, commence Jocelyne.

— Crois-tu Mozart Tremblay capable de voler? réfléchit Agnès.

— Je n'ai pas dit ça. Il y a les deux autres aussi.

— Peut-être que Mme Mouton a depuis toujours un trésor dans son sous-sol sans le savoir, dit John. Comment s'appelle le fameux lutin italien?

— Lutin? Luthier, tu veux dire, le reprend Agnès. Je ne sais pas.

— Hum, Antonio quelque chose… poursuit le garçon.

— En tout cas, avec ce vol de violon, il y a un deuxième mystère à tirer au clair. Qu'est-ce que tu as apporté pour marquer le chemin? demande Jocelyne.

— Des rubans orange.

Ils arrivent à l'entrée du labyrinthe.

John avance en premier, essayant de se rappeler où il est passé la veille. Pas facile. Notdog s'empêtre dans les plants de maïs.

— Attends, je vais t'aider. Je te remettrai ton collier tout de suite en sortant d'ici.

Jocelyne enlève donc à Notdog son instrument de torture et de ridicule. «Ne pas lécher mes points, ne pas lécher mes points. Mais ça pique!» Pas fou, Notdog décide de traîner un peu en arrière et d'être seul pour se gratter tout son soûl.

À chaque croisée, à chaque tournant, les inséparables attachent un ruban. John essaie de retrouver l'endroit où il a entendu la chanson, sauf que rien ne ressemble plus à une rangée de maïs qu'une autre. Ils rebroussent chemin, prennent une allée différente, explorent sans réaliser qu'ils posent leurs repères dans tous les coins et embrouillent ainsi leur route.

Ils s'arrêtent souvent, tendent l'oreille. Un craquement soudain: c'est un petit suisse qui passe à toute vitesse. Un bruit plus loin: c'est un oiseau qui essaie de picorer un épi. Tout autour, les rumeurs de la nature, rien de plus.

— Où est Notdog?

Jocelyne ne s'inquiète pas. Elle est habituée aux fugues de son chien, guidé d'habitude par son odorat et son estomac. Elle sait qu'il n'est pas loin. Elle l'appelle.

«Ma maîtresse m'appelle.» En chien consciencieux qu'il est, il va évidemment obéir. Mais avant de la rejoindre, il accepte encore deux biscuits et une caresse. Puis il file.

— Il y avait quelque chose. Ou quelqu'un, jure John.

— On te croit. Sauf qu'on dirait que la chose ou le quelqu'un ne se montrera pas ce matin. On a fouillé partout. Comment va-t-on sortir d'ici maintenant? Il y a des rubans partout! s'inquiète Agnès.

— Avec lui, dit Jocelyne en voyant son chien. Hein, Notdog? Amène-nous vers la sortie. Enfin, l'entrée.

Notdog reste là. «Sa demande n'est pas claire», pense-t-il.

— À la maison.

«Maison» est le mot qui vient juste avant «manger» dans le dictionnaire de Notdog. Il sait très bien quel chemin prendre. À une croisée toute proche, il s'arrête; pourquoi pas une caresse en passant? Ça fait toujours plaisir. Mais la gentille demoiselle n'est plus là.

* * *

À l'expo-vente, John a accompagné ses amies. Dédé Lapointe vient prendre des nouvelles de son chat. Rassuré de le savoir dans la chambre de Jocelyne, Dédé retourne vite aux côtés de sa mère. Pour la surveiller.

Madeleine Mouton est entourée de curieux venus voir la dame à qui on a volé un violon de valeur. Pour l'encourager, chacun lui achète une tuque. Elle n'en a jamais vendu autant!

Les inséparables profitent de l'affluence et font de bonnes affaires. Ainsi que leur voisin, Métal, qui vient tout juste de trouver preneur pour son oeuvre intitulée *Savoir-fer*.

— Hé, regardez qui arrive, lance Agnès

en voyant s'approcher celui qui s'est présenté la veille sous le nom de Nicolas Du Vernis.

Il s'adresse à Mme Mouton.

— J'ai appris la triste nouvelle. Et je viens vous offrir mon aide, en tant que collectionneur et connaisseur des instruments à cordes. Pouvez-vous me dire ce qui était écrit à l'intérieur du violon? Le nom du fabricant?

— Mon Dieu, attendez… Stradivarius, je crois.

John réagit:

— C'est le nom que je cherchais! Antonio Stradivarius!

Du Vernis continue:

— Ce fut le plus grand luthier de tous les temps. Et ses violons valent une fortune.

— Quand ils sont authentiques!

La voix est celle de la dame qui se dit luthière.

— Il y a des milliers de violons qui arborent un collant à l'intérieur, sur lequel est écrit Stradivarius. Mais ce ne sont que de piètres copies. Je peux, moi aussi, vous aider à authentifier votre violon.

— Elle l'a pourtant bien examiné, hier, murmure Agnès à Jocelyne.

Une autre personne fait une apparition soudaine: Manon Crayon.

— J'aimerais avoir une entrevue avec vous, Madeleine. Racontez-moi d'où vous vient cet instrument qu'on vous a volé.

— De mon cousin Léon. L'homme dont la ferme a brûlé il y a vingt ans. Vous souvenez-vous?

— Oui, répond Manon, c'est justement sur ses terres que le fermier Plante a érigé le magnifique labyrinthe de maïs cette année.

— Quand on parle du pou… dit John.

— Quand on parle du loup, John, pas du pou, du loup, le reprend Agnès.

Le fermier arrive justement à leur table, avec son odeur de foin qui ne le quitte jamais:

— Je voudrais vous parler.

— Nous aussi! Nous sommes allés dans votre champ et…

Agnès ne termine pas sa phrase.

— Je sais. C'est de ça dont il est question. Il n'y a absolument rien d'étrange dans ce champ. Je vous ai conté une histoire. Mais j'ai réalisé que tu avais eu très peur, John. Je t'ai entendu hier. Je… euh… voulais rendre le labyrinthe mystérieux,

euh… pour attirer la clientèle. Je croyais…
enfin, ne le prenez pas mal… que vous
ébruiteriez cette histoire, vous comprenez?
Il n'y a rien dans ce champ.

— Et pourtant, je ne suis pas fou, dit
John.

— Non! Loin de là. C'est ma faute.

Manon Crayon les interrompt:

— Monsieur Plante, vous avez connu Léon. Il jouait assez bien du violon, selon Mme Mouton.

— Bien? C'était le meilleur violoneux des cantons! Mais sa fille Élisabeth jouait encore mieux. Quand on lui disait à quel point elle avait du talent, elle répondait: «Mais non, c'est à cause de mon violon.» Et elle ajoutait: «On a l'impression qu'il joue tout seul.»

Aimé Talbot ne peut pas s'empêcher de se frotter les mains. Agnès le voit. Ainsi que le clin d'oeil que Mozart Tremblay adresse au sculpteur.

Chapitre VI
La parole est d'argent, mais la musique est d'or

— Je vais faire un tour, annonce John. Est-ce que je peux emmener Notdog?

Jocelyne lui confie son chien caché sous la table. Notdog est trop heureux de fuir tous les gens qui rient de lui et de son collier élisabéthain.

John a lui aussi le sentiment très désagréable qu'on a ri de lui. Il a décidé de se rendre au labyrinthe, histoire de vérifier les dires de Norm Plante. Au fond de lui, il est tout de même content d'apprendre qu'il n'y a pas de fantôme. Qui n'a pas peur des fantômes?

— Allez, Notdog, tu restes avec moi et tu me montres le chemin.

Notdog n'avance pas.

Aimez-vous la musique ?

— Ah oui, ton collier t'embarrasse. Je vais te le refiler.

Il veut dire «retirer», mais ce n'est certainement pas Notdog qui le lui fera remarquer.

Une fois libéré, Notdog s'engage dans le labyrinthe.

— Tu as l'air de savoir où tu vas!

John le suit en écoutant le vent, les feuilles, les craquements, les bourdonnements d'abeilles, les cris d'oiseaux. Il a droit au halètement discret d'un renard, que Notdog fuit au plus vite. Ça lui rappelle une piqûre.

Rien d'autre.

Notdog le devance. John court pour le rattraper avant de le perdre.

— Notdog! Attends-moi!

Lorsque John le rejoint enfin, Notdog est assis au milieu du chemin. À côté de lui, une jeune fille qu'il ne connaît pas caresse la tête du chien.

— Bonjour, dit-elle. Je m'appelle Lili.

— C'est toi que Norm Plante a engagée pour m'effrayer?

— T'effrayer?

— C'est toi qui chantais, hier?

— Oui, c'est moi.

Ce que John ne comprend pas encore, c'est que Lili ne répond qu'à une seule de ses deux questions.

* * *

Le restaurant Steve La Patate est bondé. Il existe une tradition sacrée au village, celle du thé-glacé-beigne-à-l'érable de seize heures le samedi. Héritée des Anglais et adaptée au goût des Français, cette vieille habitude a lié depuis longtemps les deux communautés du coin.

Et depuis que Steve a fait l'acquisition de Poutine, un perroquet qui reçoit la clientèle, les enfants de toutes origines se sont mis au thé glacé.

Agnès et Jocelyne sont à leur table habituelle, près de la fenêtre. Au fond du restaurant, Aimé Talbot et Mozart Tremblay sirotent leur thé. Jocelyne les montre d'un signe de tête à son amie:

— Ils sont un peu bizarres, ces deux-là.

— Métal a l'air très content et Mozart, très nerveux. Je ne vois pas ce que ça a de bizarre.

La porte d'entrée s'ouvre dans un grand bruit:

— Salut, le barbecue! lance Bob à Poutine.

— Bienvenue chez Steve, répond l'oiseau.

— Pas lui, lui souffle Steve. Qu'est-ce que je te sers, Les Oreilles?

— Un *cheeseburger*. Pas de fromage.

Il va s'asseoir à la table du sculpteur et du musicien.

— Salut. La seule table libre est à côté des microbes. Vous ne me verrez pas à côté d'eux autres. J'ai assez de parasites comme ça!

319

D'un coup d'oeil, les deux hommes prennent une décision commune:

— On y va.

Personne ne veut manger en compagnie de Bob, pour qui une serviette de table sert à la même chose que ses manches: se moucher.

Ils s'installent donc près de Jocelyne et d'Agnès. La conversation de Mozart et de Métal n'aurait rien eu de louche, n'eût été du fait qu'ils se parlaient à voix basse.

— En tout cas, il n'y a jamais eu tant de monde. C'était ce qu'on voulait, dit Aimé Talbot.

— Oui, mais… Ça prend peut-être des proportions trop grandes? s'inquiète Mozart.

— Mais non!

— Es-tu sûr que Manon ne se doute de rien?

— Elle ne mène pas une enquête, elle fait du journalisme, ce n'est pas pareil.

— Je ne suis quand même pas très à l'aise.

— On n'a rien fait de mal, au contraire. On amène des clients qui savent enfin que le village existe.

Rien n'est très précis. Sauf que ça l'est suffisamment pour qu'Agnès et Jocelyne comprennent que ces deux-là sont pour quelque chose dans cette histoire de violon.

— Crois-tu que ce sont eux qui ont volé le violon? murmure Jocelyne.

— Ça m'en a tout l'air…

À ce moment-là, Madeleine Mouton entre chez Steve.

— Et un pogo, un! crie Poutine.

Normalement, Madeleine Mouton aurait ri et dit un mot à Poutine. Cette fois-ci, elle lui adresse un «allo» pressé.

— Il faut qu'on lui parle, décide Agnès.

Elle fait un signe à la dame pour l'inviter à venir s'asseoir avec elles. La tricoteuse s'approche, les salue d'un petit sourire et prend place… à la table d'à côté. Avec Aimé Talbot et Mozart Tremblay.

— Mon Dieu! T'es-tu vu l'air? On dirait que tu n'es pas contente! lui reproche le sculpteur.

— J'étais contente. Mais la situation a changé.

— Comment ça? demande Mozart.

— Le violon a été volé.

— Quoi? lancent les deux hommes abasourdis.

En entendant cela, Agnès et Jocelyne ne comprennent pas.

— De quoi parle-t-elle? Elle sait bien qu'il a été volé, chuchote Jocelyne. Et pourquoi devrait-elle être contente?

Madeleine Mouton se penche pour murmurer entre ses dents à ses compagnons de table, soudain sans voix:

— Et si ce violon avait réellement de la valeur?

— Qui aurait pu le voler?

— Je ne sais pas. Du Vernis?

— Il est avec nous! On l'a engagé pour qu'il crée un intérêt autour du violon en jouant le faux collectionneur. Il n'y connaît strictement rien, aux violons.

— Si le violon vaut cher, ça peut tout changer. Il y a cette femme aussi, qui est luthière.

Elle aperçoit les filles qui les observent. Elle leur sourit:

— Alors, vos affaires vont bien? Je crois qu'il ne vous reste plus grand-chose à vendre.

Métal se lève, va payer pour lui et ses amis. Il leur fait signe et ils sortent.

Bob les suit de peu:

— Mets ça sur mon compte, Steve! Je te paye demain!

— Ouais, ouais, avec quel argent?

— Fie-toi à Bob.

Chapitre VII

Tous pour un
et un pour qui?

— Elle s'appelle comment?

— Lili, répond John à Agnès.

Dans la fraîcheur qui tombe à la fin d'une journée chaude du mois d'août, les inséparables se racontent ce dont ils ont été témoins dans l'après-midi. Notdog, lui, est tout content, car John a oublié son collier dans le labyrinthe. Il profite de son autonomie retrouvée pour gambader joyeusement autour de sa maîtresse.

— Elle m'a conté qu'elle a déjà habité pas loin mais, en général, elle ne répondait pas à mes questions. Elle m'en posait surtout. Elle avait des biscuits de chien dans les poches; Notdog était ravi.

— Est-ce que c'est elle que tu as entendue chanter hier? demande Jocelyne.

— Elle m'a dit que oui. Elle s'est informée du village. Je lui ai appris que la grande nouvelle était qu'on avait volé le violon de Madeleine Mouton.

— Jusque-là, elle n'a rien d'étrange, juge Agnès.

— Elle a l'air normale, oui. Mais elle m'a dit que ce violon était le sien.

Jocelyne soupire:

— Bon. Encore une qui s'ajoute à l'histoire! Ça commence à faire beaucoup de monde. D'après ce qu'on a entendu, quelqu'un a volé à Mme Mouton le violon qu'elle s'était déjà volé à elle-même. Aïe aïe aïe!

— Ce n'est pas sûr, répond Agnès qui ne saute jamais trop rapidement aux conclusions.

— Admettons. Sauf qu'il y a cette Lili qui prétend que le violon lui appartient. Métal et Mozart Tremblay qui semblent avoir comploté avec Madeleine. Du Vernis qui est avec eux. En passant, croyez-vous que c'est son vrai nom?

— Veux-tu gager que non? lance Agnès. Et il y a Bob qui fait savoir qu'il aura de l'argent. D'habitude, il ne travaille pas pour en avoir.

— Et cette femme luthier; qui dit qu'elle n'est pas une fausse luthière? Comment en avoir le coeur net? demande Jocelyne.

— Voici ce que je suppose, annonce John.

— Propose, John, propose…

* * *

Discrètement, Jocelyne suit Bob. Le motard s'en va d'un pas sautillant en sifflant un air impossible à identifier tellement il fausse. Mais il est d'excellente humeur, ce qui est toujours louche chez lui.

Il s'arrête en plein milieu de la rue, se retourne:

— Je t'ai vue! Est-ce que je gagne quelque chose?

— Quoi? On a bien le droit de se promener nous aussi, bafouille Jocelyne en faisant semblant de jouer avec son chien.

— Penses-tu que je ne sais pas que tu me suis? Bob est plus intelligent que ça. Pas mal plus, même.

— Ah oui? Comment ça?

— Tu l'apprendras bien tôt ou tard.

Il arrive à la hauteur de la Caisse populaire, pousse la porte. Jocelyne le suit toujours:

— Qu'est-ce que tu fais? Pas un vol de banque, j'espère!

— Pouah! Je vais m'ouvrir un compte, chère.

— Toi? Tu as de l'argent!

— J'en aurai. Il y a des gens qui connaissent bien, eux, ce qui a de la valeur.

Il entre fièrement dans la banque.

* * *

Méfiante et nerveuse, Madeleine Mouton compte les recettes de la journée. L'affluence a été inespérée.

Agnès l'observe du coin de l'oeil. «Décidément, cette histoire de vol d'un violon de valeur a attiré beaucoup de curieux. Je commence à comprendre ce qui aurait pu la motiver à déclarer un faux vol. C'est peut-être l'idée d'Aimé Talbot. Ou de Mozart Tremblay. Ou des trois.»

— Madame Mouton? Est-ce que je peux vous poser une question?

— Euh... oui... ça dépend.

— Connaissez-vous une certaine Lili?

La tricoteuse réfléchit:

— Non, je ne vois pas. Pourquoi?

— Il y a une Lili qui affirme que votre violon est le sien.

— Impossible! La seule Lili que j'ai connue et à qui appartenait effectivement ce violon est ma petite-cousine Élisabeth. Qui est morte voilà déjà vingt ans.

— Ah.

— Vous l'avez rencontrée où, cette soidisant Lili?

— Oh, ce n'est pas à moi qu'elle a parlé, mais c'était dans les parages du labyrinthe de maïs.

Madeleine Mouton reste figée, l'argent dans les mains. Vite, elle se ressaisit.

— Élisabeth… Ça, c'est du Norm…

Ce n'était qu'un murmure, mais Agnès a bien vu le sourire sur son visage.

* * *

De son côté, John s'est rendu à l'auberge Sous mon toit, où logent Mme S. Trad et celui qui prétend s'appeler Nicolas Du Vernis. Il croise le grand Bill, roi de la vadrouille et de la guenille, chargé du ménage à l'auberge.

— As-tu vu M. Du Vernis, Bill?

— Du Vernis… Ah oui! Le monsieur qui est violoniste?

— Violoniste?

— Enfin, c'est ce que j'en ai déduit puisqu'il a un violon dans sa chambre. Il n'y a que les violonistes qui se promènent avec des violons, c'est ce que je me dis.

— Pas seulement, Bill.

— Ah bon. Il était dans le jardin tantôt, quand je suis allé ramasser les verres dehors. Parce qu'on dirait qu'il va y avoir de l'orage.

John le remercie et va dans le jardin éclatant des fleurs plantées par Bill, aussi roi de la pelle et de l'engrais à ses heures. Du Vernis est toujours là.

Et il est rejoint par Mme S. Trad.

Bien dissimulé derrière les magnifiques tournesols de Bill, John écoute:

— Croyez-vous vraiment que ça peut être un vrai Stradivarius? demande Du Vernis.

— Elle ne m'a pas laissée l'examiner assez longtemps.

— Vous allez pouvoir le faire.

— Comment ça?

Du Vernis se penche à l'oreille de la femme et lui murmure quelque chose.

— Quoi? Ici! Et les autres, s'ils viennent?

— Mais non. Ils ne se doutent pas que
c'est moi. Venez.

Ils se lèvent, entrent dans l'hôtel, montent vers les chambres. John sait maintenant où est le violon.

Enfin, savait. Car il voit Du Vernis et
S. Trad rappliquer dans le hall. Du Vernis
interroge la réceptionniste en tremblant:

— Quelqu'un est-il entré dans ma
chambre?

— À part Bill, non.

— Appelez-le.

— Pourquoi?

— Parce qu'on m'a volé un objet de
grande valeur.

* * *

— Mais qui l'a, alors?

Voilà la question que les trois inséparables se posent, après qu'ils se sont retrouvés à l'agence.

— Soit Bob l'a vendu, soit Mme S. Trad ment à Du Vernis et le lui a déjà subtilisé, réfléchit Agnès.

— S. Trad! s'exclame Jocelyne. Pas très subtil. Ça fait STRAD, Stradivarius.

— Il y a une troisième possibilité à dévisager, dit John.

— Envisager, John, pas dévisager. Laquelle?

— Que le violon ait été volé par un fantôme.

— Même ça, c'est sûrement arrangé. Par Norm.

Agnès en est certaine.

Chapitre VIII
Un garçon avec de l'intuition

C'est le lendemain matin seulement que la pluie a commencé à tomber. Mais ce qui réveille Jocelyne, ce n'est pas le bruit des gouttes sur la fenêtre de sa chambre, c'est un garçon de six ans dégoulinant qui frappe à sa porte.

— Ton oncle m'a fait entrer. Je suis venu voir mon petit chat.

Son animal chéri est roulé en boule dans les pattes de Notdog, lui-même roulé en boule.

— Tu es de bonne heure, Dédé.

— Non, il est déjà sept heures.

Jocelyne se cache la tête sous l'oreiller.

— Oh non!

— Je ne vais pas te déranger. On va sortir de la chambre. Dors.

Dédé prend son chaton et sort, suivi de Notdog, qui ne voit pas l'arrivée de Dédé d'un bon oeil. «Comment ça, il me vole MON chat?» pense-t-il. C'est qu'il est en train de s'y attacher!

L'oncle de Jocelyne prépare son café à la cuisine:

— Veux-tu un chocolat chaud, Dédé?

— Non merci. Mais avez-vous de la crème?

Édouard Duchesne sort le contenant du réfrigérateur. Dédé en verse une soucoupe à son chat et une à Notdog. Puis il enfile son imperméable:

— Est-ce que je peux aller dehors avec les animaux, monsieur Duchesne?

— Oui. Ne t'éloigne pas, par exemple.

Dédé sort en tenant le chaton bien au chaud dans son manteau.

— Et toi, Notdog?

Attentif parce que Dédé lui parle, Notdog s'assoit. «On ne sait jamais, ça pourrait être important. Il pourrait me parler de nourriture…»

— Veux-tu des biscuits? demande Dédé.

Notdog se lève et s'approche.

— Tu en veux. Je n'en ai pas.

Dédé lui montre ses mains vides. Notdog, intelligent, comme tout le monde le sait, se dit: «Je sais où il y a des biscuits. Des meilleurs que ceux que Jocelyne me donne.»

— Attends! crie Dédé en le voyant dévaler l'escalier.

Mais le chien le plus laid du village n'entend que le mot «biscuit» qui résonne dans sa tête.

— Viens, chaton, on va rattraper Notdog. M. Duchesne ne veut pas qu'il s'éloigne.

En ce dimanche matin orageux, il n'y a personne d'autre dans la rue Principale que le petit Dédé et Notdog. Bientôt, l'enfant à l'imperméable jaune disparaît dans la campagne.

* * *

— Ça fait vingt minutes que Dédé est sorti. Et je ne le vois nulle part. Avant que je m'inquiète vraiment, va chercher où il est. Il ne peut pas être bien loin.

— OK. J'y vais, répond Jocelyne à son oncle, pas très contente.

Encore endormie, elle s'habille et sort. Il pleut à verse. Elle cherche partout dans les alentours, dans les cours, au parc et jusqu'en arrière de chez Steve, où Notdog aime fouiller dans les poubelles. Rien.

«Dédé n'est pas tout seul, il est avec Notdog. Il n'y a rien à craindre», se dit Jocelyne. Mais tout de même.

Elle sonne chez Agnès et lui explique la situation. Elles appellent John qui vient bientôt les rejoindre.

— Bon. On laisse évidemment tomber le violon pour ce matin. C'est Dédé qu'il faut trouver, dit Jocelyne.

John a alors une réflexion surprenante:

— Et si les deux choses allaient ensemble?

— Pardon? s'étonne Agnès. Dédé ne sait pas jouer du violon!

— Dédé est avec Notdog. Notdog veut toujours remplir son gros ventre, explique John.

Jocelyne proteste:

— Son ventre n'est pas gros!

— D'accord, il n'est pas gros. Dans le labyrinthe, Lili lui donnait des biscuits. Il a pu entraîner Dédé là-bas. Et hier, on a pensé que Lili a peut-être volé le violon, enfin, elle est spectre.

— Je ne crois pas à cette histoire de fantôme! affirme haut et fort Agnès.

— Non, je veux dire qu'elle pourrait être coupable.

— Suspecte! Pas spectre, comprend Jocelyne. John a peut-être une piste. C'est tout à fait le genre de Notdog de retourner à une bonne source de nourriture. Même si ce n'est pas vrai qu'il a un gros ventre. Il faut bien chercher quelque part.

Quand les inséparables sortent de la maison pour se rendre dans le champ de maïs, l'orage gronde au loin.

* * *

L'intuition de John ne l'avait pas trompé. Ils les ont trouvés assez facilement.

Notdog se gave de biscuits. Dédé est en train de raconter que sa mère va le déposséder de ses pyjamas de nourrisson, mais certainement pas de son chaton. Lili caresse la tête de la petite bête qui émerge de l'encolure de l'imperméable de Dédé. Et seule Lili ne semble pas le moins du monde incommodée par le torrent qui tombe du ciel à ce moment.

— Moi aussi, j'ai quelque chose de précieux pour moi, dit-elle. Un violon.

— Tu ne peux pas le garder. Il est à Madeleine Mouton, lance John de loin.

Surprise, Lili aperçoit les trois inséparables qui s'approchent.

— Non! C'est mon violon.

Agnès avance vers elle:

— Avant d'appartenir à Madeleine, ce violon était la propriété d'Élisabeth, la fille de Léon, qui est morte dans un incendie. Qui es-tu?

Quelques secondes, le silence règne. Puis:

— Je suis Élisabeth.

340

Dédé la regarde et essaie de comprendre ce qu'il vient d'entendre:

— Tu es un fantôme, alors?

Il blêmit. Agnès, elle, pense à la réaction de Madeleine lorsqu'elle lui a parlé de Lili:

— Mais non! C'est encore une manigance de Norm Plante. Il nous a raconté qu'il y avait des choses bizarres dans son champ juste pour qu'on en parle et ainsi attirer les curieux. Il t'a engagée pour faire le fantôme.

— Norm? Il ne m'a jamais vue. Je suis chez moi, c'est tout. Ma chambre était ici, à l'endroit où nous sommes. Écoutez.

Elle ouvre la boîte cachée sous des feuilles de maïs, sort l'instrument tant

convoité sans prendre garde à la pluie. John a le réflexe d'enlever son imperméable et de protéger la tête de la jeune fille avec. Elle commence à jouer.

Combien de temps? On ne sait pas. Les enfants sont sous le charme, l'enchantement. La musique est trop belle. Et la musicienne, experte, magicienne, fée.

Ce n'est qu'à la toute fin que les inséparables se rendent compte qu'elle ne touche pas à terre, qu'elle flotte dans les airs.

Agnès n'est plus si sûre d'elle. Seul Notdog n'a pas l'air du tout dérangé par l'idée d'être en présence d'un fantôme. Tant que les biscuits sont réels…

— N'ayez pas peur. Je ne veux de mal à personne. Je m'ennuie. Mais comme j'ai retrouvé mon bon vieux violon, je suis très heureuse.

Lili range enfin l'instrument.

Jocelyne revient peu à peu de sa stupeur:

— Ce violon a-t-il vraiment de la valeur?

— C'est un Stradivarius. Le meilleur.

John dit alors quelque chose d'étonnant:

— Tu ne dois pas le garder, Lili.

— Et pourquoi?

— Parce que ce que je viens d'entendre est trop beau et que plus personne n'écouterait jamais ce violon.

— Sauf moi.

— Sauf toi.

Lili réfléchit. Puis elle tend la boîte à John.

— Il faudra offrir ce violon à quelqu'un qui joue très très bien. Et qu'il se promène partout dans le monde pour que le plus de gens possible profitent de cette musique. Peut-être que je pourrais essayer la flûte?

— J'en ai une! Je te l'apporte si tu veux.

C'est ainsi qu'Agnès s'est adressée pour la première fois à un fantôme.

Chapitre IX
Tout ne peut être acheté ou vendu

— Merci d'avoir ramené mon Dédé, les enfants. Alors, mon garçon, est-ce que tu t'es bien amusé chez Jocelyne?

— On est sortis et j'ai parlé avec un fantôme!

La mère de Dédé est habituée aux histoires farfelues de son fils à l'imagination fertile. Persuadée qu'il s'agit encore une fois d'une de ses inventions, elle le fait entrer en souriant:

— Oh! viens me raconter ça.

La pluie tombe toujours pendant que les inséparables se dirigent d'un pas lent vers l'aréna qui ouvre ses portes. La méga-expo-vente-de-garage se termine ce matin.

Aimez-vous la musique ?

Jocelyne prend bien soin de ne pas étouffer sous son imperméable le petit chat que Dédé lui a de nouveau confié. Notdog boude, car sa maîtresse a retrouvé le fameux collier oublié par John et le lui a remis. Agnès cherche une explication logique à ce qu'elle vient de voir. Et John transporte le fameux violon.

Ils entrent. Ils sont tous là: Mozart Tremblay, Aimé Talbot, Madeleine Mouton, Du Vernis, S. Trad.

— On vous rapporte ceci.

John tend le violon à sa propriétaire, enfin, celle qui est bien vivante. S. Trad demande si elle peut bien l'inspecter.

— Hum, c'est bien ce que je pensais, c'est un faux. Mais il est de bonne qualité. Je peux vous offrir un bon prix tout de même.

John le lui reprend des mains. À sa manière de résister, John comprend qu'elle le laisse aller à contrecoeur.

— D'après Élisabeth, c'est un vrai, dit-il.

— Ça vaut combien, un vrai? s'informe Madeleine.

— Des millions de dollars, n'importe qui sait ça, répond Mozart Tremblay.

Aimez-vous la musique ?

— Qu'allez-vous en faire? demande à son tour Jocelyne.

— S'il s'agit d'un vrai, contrairement à ce que prétend Mme S. Trad, je le vendrai, décide la tricoteuse.

— Il faut trouver un grand violoniste, dit Agnès.

— Un violoniste? Non! Je vais le vendre à un musée. Comme ça, il sera en sécurité.

— Il faut qu'un musicien puisse en jouer! lance John.

— Mon Dieu! Jamais! Je préfère que ce trésor soit exposé dans une vitrine et gardé sous clé.

Chacun regarde Madeleine d'un air désapprobateur. Mais qu'y peuvent-ils?

— Les enfants, où avez-vous retrouvé mon violon?

— Dans le labyrinthe de maïs, répond Jocelyne.

Madeleine Mouton devient songeuse.

Chapitre X
La sortie de l'entrée

Devant l'aréna, John, Agnès et Jocelyne discutent ferme.

— On ne peut pas la laisser faire! lance John. Lili a remis le violon pour qu'il soit joué, pas exprimé!

— Exposé, John, pas exprimé, le reprend Agnès. Avoir su...

Jocelyne termine la phrase:

— ... on ne le lui aurait pas rendu. On ne peut quand même pas le lui voler de nouveau!

— Es-tu bien sûre?

John se demande, comme eux tous, si ce ne serait pas acceptable, étant donné la situation. Agnès a une idée:

— On pourrait peut-être essayer de

convaincre Madeleine? En lui racontant tout? Je n'y crois pas beaucoup, mais enfin.

Que faire d'autre?

Quand ils retournent à l'aréna, Madeleine Mouton est partie, avec le violon. Ainsi que ceux et celles qui le convoitaient.

— Elle ne doit pas être très loin. Notdog, tu vas nous aider à la trouver.

Fâché contre sa maîtresse, Notdog se couche en soupirant.

— OK. Si je t'enlève ton collier, seras-tu plus coopératif?

Libéré, Notdog frétille, prêt à tout. Jocelyne lui fait sentir quelques tuques, imprégnées du parfum de Mme Mouton. «Ce sera facile. Ça ne sent pas aussi bon que le jambon, mais ça sent pas mal fort.»

Et les voilà partis.

* * *

C'est à l'entrée du labyrinthe qu'ils retrouvent Madeleine Mouton.

— Je veux voir celle que vous appelez Lili. Puisque vous êtes là, vous allez me montrer le chemin.

Cinq minutes plus tard, Lili et Madeleine sont face à face. Émue, Madeleine s'approche. Hésitante, elle serre contre elle sa petite-cousine fantôme.

— C'est bien toi, notre Lili. Que fais-tu là, après toutes ces années?

— J'ai toujours été là. Dans ce champ abandonné où personne ne venait jamais.

— Pourquoi te manifester maintenant et pas avant?

— Parce que tu as sorti mon violon de l'oubli. J'ai voulu le récupérer. Pour qu'il me tienne compagnie dans cette vie que j'ai.

Madeleine Mouton montre la boîte.

— Il vaut très cher, tu sais. Je voulais le vendre à un musée.

— À quoi sert un violon qui reste muet?

Madeleine lui tend alors l'instrument:

— Personne n'en jouera mieux que toi.

— Je n'étais pas une grande violoniste.

— Pour moi, oui.

Lili prend l'instrument, ne sachant trop si elle le gardera, comme elle le désire, ou si elle le rendra au monde.

— Dis-moi, Madeleine, pourquoi avoir conté cette fausse histoire de vol?

— On ne croyait pas mal agir. C'était plutôt une sorte de farce pour attirer au village les gens d'ailleurs et faire de bonnes affaires.

— Et on en a fait! lance une voix derrière eux, celle d'Aimé Talbot.

Le sculpteur est accompagné de Mozart Tremblay.

— Maintenant, on va en faire une bien meilleure avec ce beau violon, ajoute Mozart.

— Si tu es assez folle, Madeleine, pour laisser ce trésor à un fantôme, on n'a pas le choix de t'arrêter.

— Ce que vous dites là est très juste!

La voix est celle de Nicolas Du Vernis.

— Ah! Notre faux expert qui était chargé d'alerter la presse. Tu auras ta part, ne t'inquiète pas.

Mais Nicolas est accompagné de S. Trad.

— Je regrette, on va diviser ça juste en deux, lance-t-il.

— Finalement, non.

S. Trad bondit vers Lili et agrippe l'instrument. Elle s'enfonce à toute vitesse dans le labyrinthe.

Après quelques secondes de surprise, tout le monde s'élance à sa poursuite. Mais par où est-elle passée? Un seul des poursuivants a une chance de la retracer avant qu'elle réussisse à sortir: Notdog.

— Vas-y, mon chien, cherche.

Notdog, qui adore jouer à cache-cache, obéit à sa maîtresse avec enthousiasme et s'élance. Agnès, de son côté, suggère à John:

— Allons chacun dans une direction différente. On va tous les perdre.

Commence alors une course folle. Chacun pense que l'autre a trouvé le bon chemin, le suit, pour aboutir dans une impasse, revenir, voir surgir l'un et l'autre à

Aimez-vous la musique ?

une croisée et se perdre complètement dans ce labyrinthe que Norm Plante n'a jamais si bien réussi.

Quand elle aperçoit S. Trad à travers le maïs, Jocelyne ordonne à son chien:

— Notdog, saute!

Son chien hésite une seconde: «Quoi? D'habitude, elle me dit qu'il ne faut pas que je saute sur les gens!»

Tous les chiens, c'est connu, adorent sauter sur les gens. Notdog ne fait pas exception. Pour une fois qu'il en a la permission, il ne se fait pas prier et il bondit sur les épaules de la voleuse, qui tombe par terre, évidemment.

Jocelyne ramasse le violon:

— Notdog, viens!

Et tous les deux disparaissent illico. S. Trad essaie de les suivre, mais elle est bientôt aussi perdue que tous les autres.

Chapitre XI
Mon chat
s'appelle Lili

À la fin de l'après-midi, le soleil est apparu timidement. Au dépanneur d'Édouard Duchesne, les inséparables comptent leurs recettes de la vente.

— On pourra repeindre l'agence. En orange, ce serait voyant, suggère Jocelyne.

— Et s'offrir un lecteur de disques compacts, ajoute Agnès.

— Je vais essayer de trouver une affiche de violon. Pour replacer l'autre.

— Remplacer, tu veux dire, le corrige Agnès.

La porte s'ouvre sur Madeleine Mouton.

— C'est fait.

— Bonjour, Madeleine! lance Édouard. Qu'est-ce qui est fait?

— J'ai donné une entrevue à Manon Crayon. Oh! allo, Norm!

Le fermier entre à son tour, enveloppé de son odeur de foin.

— Salut! J'arrive de mon labyrinthe. Imaginez-vous que j'y ai trouvé Aimé, Mozart et deux autres personnes complètement mouillées. Ils avaient l'air de chercher la sortie depuis longtemps. Je pense que je vais le faire un peu plus facile, l'année prochaine. Ça va, les enfants? Vous n'êtes plus fâchés?

— Jamais de la vie! répondent les inséparables en choeur.

Discrètement, Jocelyne entraîne Madeleine Mouton à l'écart:

— Que fait-on de tous nos voleurs? On appelle la police?

— Oh! je pense qu'une bonne grippe sera suffisante pour enlever à Aimé et à Mozart l'envie de recommencer. Quant aux deux autres...

— Que penseriez-vous de leur dire qu'ils seront surveillés par un fantômc?

— Bonne idée, Jocelyne.

Puis le petit Dédé arrive. Il tient son chaton contre son coeur:

— Ma mère veut! Je peux le garder! Je vais l'appeler Lili.

John le prend, l'examine:

— Mais, Dédé, c'est un mâle.

— Et alors?

Notdog s'approche du chat, le renifle. Jocelyne ne lui a pas remis son collier. Pour services rendus.

— Tu viendras jouer avec lui chez nous, promet Dédé.

Notdog comprend qu'il ne sera plus gardien. Il pense: «Un jour, il deviendra gros, ce chat-là. Je ne suis pas sûr que je l'aimerai autant.»

C'est à cet instant que Bob Les Oreilles Bigras entre, gonflé d'orgueil:

— Dites bonjour à Bob L'Artiste Bigras. Parce que Bob vient de vendre sa sculpture de l'entrée à un homme de goût qui va l'exposer!

— Ta sculpture en morceaux de moto? Quelqu'un a payé pour ça? s'étonne Agnès.

Bob ne relève pas l'ironie. Il est trop content:

— Mon premier argent gagné honnêtement! De la réglisse pour tout le monde!

À ce moment, là-bas, dans le maïs géant, une douce musique s'élève. De temps en

362

temps, Lili jouera du violon. Et pour l'entendre, on n'aura qu'à aller s'asseoir au bout du champ.

Le lendemain, le journal du village titrait:

«Madeleine Mouton confirme: le violon volé était un faux! Affaire classée.»

Notdog, volume 1

Table des matières

Découvrez les autres séries de la courte échelle

Hors collection Premier Roman

Série Sophie :
Sophie, volume 1

Série Les jumeaux Bulle :
Les jumeaux Bulle, volume 1

Série Marilou Polaire :
Marilou Polaire, volume 1

Série Fred :
Fred, volume 1

Hors collection Roman Jeunesse

Série Andréa-Maria et Arthur :
Andréa-Maria et Arthur, volume 1

Série Rosalie :
Rosalie, volume 1

Série Ani Croche :
Ani Croche, volume 1